JN207037

はじめに

　消費税は、消費に広く公平な負担を求めるという観点から、国内において行われるほとんどすべての商品の販売やサービスの提供等を課税の対象としており、取引の各段階ごとに課税する間接税です。

　また、消費税は申告納税方式を採用しており、課税されるか否か、各種制度を選択するか否かなどについて、納税者の方が自ら法令の解釈やその取扱いを十分に理解した上で、判断していただく必要があります。

　令和5年10月1日から複数税率に対応した仕入税額控除の方式として適格請求書等保存方式（インボイス制度）が開始されましたが、近年の消費税法の改正内容についてみていきますと、令和5年には、適格請求書発行事業者となる小規模事業者に対する納税額に係る負担軽減措置が講じられたほか、令和6年には、国外事業者等における事業者免税点制度の特例等の見直しなどが行われております。

　さらに、令和7年4月1日から国外事業者がデジタルプラットフォームを介して国内向けに行うデジタルサービスについて、国外事業者の取引高が50億円超のプラットフォーム事業者を対象に、消費税の納税義務を課す制度が導入されます。

　このように、多くの事業者等の皆様に影響を及ぼすような改正が行われていることから、改正事項に理解を深めていただく必要があります。

　本書では、事業者の方をはじめ、消費税の実務に携わっておられる方々が一目で可否判定が行えるよう、各取引の判定事例を示して、その判定結果を分かりやすく「○」「×」式で解説しています。

　本書が、消費税を理解する上での一助となり、皆様方のお役に立てれば幸いです。

　なお、本書は、大阪国税局課税第二部消費税課に勤務する者が、休日を利用して執筆したものであり、本文中の意見にわたる部分につきましては、執筆者の個人的見解であることをお断りしておきます。

令和6年10月　　　　　　　　　　　　　　　　　　　　　　　　編　　者

目 次

第3章　内外判定　52

第5章　輸出免税　　　　　　　106

第6章　小規模免除　124

第7章　小規模免除の特例　130

第10章 税額控除 158

第11章 帳簿及び請求書等の保存（適格請求書等保存方式） 187

第12章　簡易課税制度　214

第15章 経理処理 244

第16章 総額表示 247

第17章 軽減税率制度の概要等 250

第18章 国境を越えた役務の提供に係る消費税の課税関係　269

第19章 プラットフォーム課税関係　278

索引

凡 例

本書において使用した次の省略用語は、それぞれ次に掲げる法令等を示すものである。

平28改法 ……………………	所得税法等の一部を改正する法律（平成28年法律第15号）
平27改法附 …………………	所得税法等の一部を改正する法律（平成27年法律第9号）附則
旧平27改法附 ………………	所得税法等の一部を改正する法律（平成27年法律第9号）による改正前の附則
平28改法附 …………………	所得税法等の一部を改正する法律（平成28年法律第15号）附則
令6改法附 …………………	所得税法等の一部を改正する法律（令和6年法律第8号）附則
平28改令附 …………………	消費税法施行令等の一部を改正する政令（平成28年政令第148号）附則
平28改規附 …………………	消費税法施行規則等の一部を改正する省令（平成28年財務省令第20号）附則
平30改令附 …………………	消費税法施行令等の一部を改正する政令（平成30年政令第135号）
法 …………………………	消費税法
法附 …………………………	消費税法附則
令 …………………………	消費税法施行令
令附 …………………………	消費税法施行令附則
規 …………………………	消費税法施行規則
規附 …………………………	消費税法施行規則附則
所法 …………………………	所得税法
所令 …………………………	所得税法施行令
法法 …………………………	法人税法
法令 …………………………	法人税法施行令
措法 …………………………	租税特別措置法
輸徴法 ………………………	輸入品に対する内国消費税の徴収等に関する法律
通則法 ………………………	国税通則法
基通 …………………………	消費税法基本通達
旧通達 ………………………	消費税法基本通達の一部改正について（令和5年8月10日課消2-9）による改正前の消費税法基本通達
様式通達 ……………………	消費税関係申告書等の様式の制定について（通達）

地法	……………………	地方税法
地法附	……………………	地方税法附則
地令	……………………	地方税法施行令
所基通	……………………	所得税基本通達
法基通	……………………	法人税基本通達

（用語）

新消費税法	……………………	改正法第5条《消費税法の一部改正》の規定による改正後の消費税法
旧消費税法	……………………	改正法第5条《消費税法の一部改正》の規定による改正前の消費税法
新税率	……………………	新消費税法第29条《税率》に規定する税率
旧税率	……………………	旧消費税法第29条《税率》に規定する税率

（注）　令和6年10月1日現在の法令通達による。

第1章　通則

Q-1　共同事業の場合の納税義務

判　定　事　例	判　定
共同企業体（ＪＶ）を組んで建設工事を行っている場合、消費税の納税義務はありますか？	 あります

 補足説明　　各構成員の持分割合又は利益の分配割合に対応する部分について、それぞれ消費税の納税義務を負うことになります。

参考：通則法9、基通1-3-1

Q-2　非居住者、外国法人の納税義務

判　定　事　例	判　定
日本国内に住所又は居所を有しない「非居住者又は外国法人」は、日本国内において商品を販売するような場合、消費税の納税義務はありますか？	 あります

参考：法4①、5①、9①、基通5-1-11

Q-3　人格のない社団等の納税義務

判　定　事　例	判　定
法人格を有しない任意団体が行う資産の譲渡等についても、課税されますか？	 課税されます

参考：法2①七、3、基通1-2-1、1-2-2

Q－4 ● 破産財団に属する課税資産の処分に係る納税義務者

判 定 事 例	判 定
破産財団に属する課税資産を破産管財人が処分した場合、その課税資産の譲渡に係る納税義務者は、破産した会社になりますか？	◯ なります

参考：法9

Q－5 ● 委託販売等の場合の納税義務者

判 定 事 例	判 定
委託販売や代理店販売を行っている場合、次の消費税の課税関係はどのようになりますか？ ①－1 〈委託者〉 　受託者が委託商品を販売したことに伴い収受する販売代金は、資産の譲渡等の金額になりますか？	◯ なります
①－2 〈委託者〉 　受託者に支払った委託販売（代理店）手数料は、課税仕入となりますか？	◯ なります

 補足説明　その課税期間中に行った委託販売等の全てについて、その受託者における販売代金から、当該受託者に支払う委託販売手数料を控除した残額を委託者における資産の譲渡等に係る対価の額としているときは、これを認めることとされています。

②−1 〈受託者（代理店）〉

　販売を委託された商品の販売代金は、課税対象となりますか？

なりません

②−2 〈受託者（代理店）〉

　委託者から受け取る受託販売（代理店）手数料は、役務の提供の対価として課税対象となりますか？

なります

補足説明

　委託者から課税資産の譲渡等のみを行うことを委託されている場合の委託販売等に係る受託者については、委託された商品の譲渡等に伴い収受する金額を課税資産の譲渡等の金額とし、委託者に支払う金額を課税仕入れに係る金額としても差し支えないこととされています。

参考：基通4−1−3、10−1−12

Q−6 信託財産に係る資産の譲渡等の帰属

判 定 事 例	判 定

　信託財産に係る資産の譲渡等について、次の場合、受益者が消費税の申告を行うことになりますか？

①　受益者等課税信託の場合

○

受益者が行います

②　集団投資信託、退職年金信託及び特定公益信託等の場合

受託者が行います

③　法人課税信託の場合

×

受託者が行います

参考：法14、15、基通4−2−1、4−2−2

Q-7 組織変更の場合の課税期間

判 定 事 例	判 定
法人組織を変更した場合、その課税期間は組織変更前と組織変更後とに区分されるのですか？	区分されません

参考：法19、基通3-2-2

Q-8 課税期間の短縮についての届出の効力発生時期

判 定 事 例	判 定
課税期間を1か月又は3か月に短縮するための届出書を提出した効力は、届出書を提出した日の属する1か月又は3か月単位の期間の翌期間から効力を発生することになりますか？	なります

Q-9 新規設立法人の場合の課税期間の短縮

判 定 事 例	判 定
本年に設立登記を行った貿易業を営む株式会社（資本金300万円）は、輸出免税取引が多いため、課税事業者の選択をするとともに当初から3か月ごとの課税期間の短縮特例を適用し、消費税等の還付を受けることができますか？	できます

 補足説明　　還付を受けるためには「消費税課税事業者選択届出書」を提出し、最初の課税期間から課税事業者を選択することによって消費税の還付申告書を提出できるようにする必要があります。
　　次に、事業者が国内において課税資産の譲渡等に係る事業を開始した日の属する3か月単位の期間については、その期間中に「消費税課税期間特例選択・変更届出書」を提出すればその期間の開始の日からその届出の効力が発生します。

参考：法9①④、12の2①、12の3①、19①四、②、令20、41、様式通達第1号様式、第13号様式

Q-10 課税期間の特例適用法人が解散した場合の課税期間

判 定 事 例	判 定
３か月の課税期間の短縮特例の適用を受けている株式会社が解散した場合、当事業年度に係る課税期間は、解散の日で区分されますか？	 ○ **区分されます**

参考：法19①四、基通3－2－3、法法14①一

Q-11 短縮した課税期間を原則に戻す場合の手続

判 定 事 例	判 定
１か月又は３か月の課税期間短縮の適用を受けていた事業者が、翌課税期間から原則的な課税期間に戻す場合の手続は、当課税期間中に行う必要がありますか？	○ **必要があります**

 補足説明　　「消費税課税期間特例選択・変更届出書」を提出した事業者は、事業を廃止した場合を除き、この届出書の効力の生じる日から２年を経過する日の属する課税期間の初日以後でなければ、その不適用届出書を提出することはできないこととされています。

参考：法19③④⑤、様式通達第13号様式、第14号様式

第2章　課税範囲

判 定 事 例	判 定

消費税法の課税対象となる「資産の譲渡等」とは、事業として対価を得て行う資産の譲渡及び貸付け並びに役務の提供をいいますが、次のものは、課税の対象になりますか？

① 代物弁済による資産の譲渡

○

なります

② 負担付き贈与による資産の譲渡

○

なります

③ 金銭以外の資産の出資（特別の法律に基づく承継に係るものを除きます。）

○

なります

④ 法人税法第2条第29号ハ《定義》に規定する特定受益証券発行信託又は同条第29号の2に規定する法人課税信託（同号ロに掲げる信託を除きます。以下④において「法人課税信託」といいます。）の委託者がその有する資産（金銭以外の資産に限ります。）の信託をした場合における当該資産の移転及び法第14条第1項の規定により同項に規定する受益者（同条第2項の規定により同条第1項に規定する受益者とみなされる者を含みます。）がその信託財産に属する資産を有するものとみなされる信託が法人課税信託に該当することとなった場合につき法人税法第4条の3第9号《受託

○

なります

法人等に関するこの法律の適用》の規定により出資があったものとみなされるもの（金銭以外の資産につき出資があったものとみなされるものに限ります。）

⑤　貸付金その他の金銭債権の譲受けその他の承継（包括承継を除きます。）

なります

⑥　受信料を徴収して行われる無線通信の送信

なります

⑦　土地収用法その他の法律の規定に基づいて所有権その他の権利を収用され、かつ、当該権利を取得する者から当該権利の消滅に係る補償金を取得する場合

なります

⑧　その性質上事業に付随して対価を得て行われる資産の譲渡及び貸付け並びに役務の提供

○

なります

参考：法2①八、②、令2、基通5－1－3

Q-2　「資産」の意義

判　定　事　例	判　定

消費税法の課税対象となる「資産」とは、棚卸資産又は固定資産のような有形資産だけでなく、取引の対象となる一切の資産をいうものとされますが、次のものは「資産」になりますか？

①　貸付金その他の債権

○

なります

②　他の者の資産を利用する借家権や借地権などの権利

○

なります

③　工業所有権などの無形資産

なります

参考：法2①八、②、令2、基通5－1－3

Q－3　講師謝金の取扱い

判　定　事　例	判　定
開業医が、年に1～2回企業の社内研修で医学や健康に関する講演を行い、受け取っている謝金は、課税の対象になりますか？	**なります**

　**補足説明**　事業者が行う専門的知識に基づく講演などは、事業に付随して行われる役務の提供として課税の対象になります。

参考：法2①八、令2③、基通5－1－7

Q－4　副業としての不動産収入

判　定　事　例	判　定
本業の物品販売以外に、建物（事務所用家屋1戸）を月額10万円で賃貸している場合も事業として課税の対象になりますか？	**なります**

参考：法2①八、4①、基通5－1－1

Q－5　アルバイト料

判　定　事　例	判　定
アルバイト料は、課税の対象になりますか？	✕　**なりません**

参考：法2①八、基通1－1－1

Q－6 個人事業者の生活用資産の売却

判 定 事 例	判 定
個人事業者が生活用資産を売却した場合は、課税の対象になりますか？	なりません

参考：法2①八、④1、基通5－1－1(注)1

Q－7 個人事業者の株式の売買

判 定 事 例	判 定
物品販売業を営む者が片手間に行っている株式の売買も事業に該当することになりますか？	該当しません

参考：法2①八、4①、法別表第二第2号

Q－8 地方公共団体からの委託料収入

判 定 事 例	判 定
地方公共団体からの委託により事業を行っている場合の委託収入は、課税の対象になりますか？	なります

参考：法2①四、4①、基通5－1－1

Q-9 公益法人等の課税範囲

判 定 事 例	判 定
一般財団法人や一般社団法人をはじめとする法人税法別表第二に掲げる法人は、収益事業に係る所得についてのみ法人税が課税されることになっていますが、消費税についても同様に課税されますか？	 **異なります**

 補足説明

消費税は、国内において事業者が事業として対価を得て行う資産の譲渡、貸付け及び役務の提供並びに特定仕入れが課税の対象とされており、このことは、公益法人等においても同様です。

したがって、非収益事業とされ法人税が課税されないものであっても、国内における課税資産の譲渡等に該当する限り消費税は課税されることになります。

参考：法2①四、八、4①、5①、法法4①、6、法令5

Q-10 個人経営の建築業者が自己の家屋を建築した場合

判 定 事 例	判 定
個人経営の建築業者が自己の居住の用に供するため、事業用として課税仕入れをしていた建築資材等を当該家屋の建築のために消費、使用した場合には、家事消費として課税の対象になりますか？	 **なります**

 補足説明

当該家屋の建築のために、個人の建築業者が自ら要した労務については、資産の家事消費には該当しませんので、課税の対象となりません。

また、当該家屋の建築のために他の者から受けた役務の提供は、事業者が事業として受けたものではないから課税仕入れとなりません。

参考：法4⑤、基通5－3－1

Q−11 事業用固定資産の売却

判 定 事 例	判 定
個人事業者が事業の用に供していた建物や機械、車両等を売却した場合や建築業における残材（鉄屑等）を売却した場合は、課税の対象になりますか？	**なります**

参考：法2①八、4①、令2③、基通5−1−7

Q−12 家事用資産の売却

判 定 事 例	判 定
印刷業を営む個人事業者が、新しい印刷機械を購入するために、商売とは関係なく先代から相続により引き継いで所有していた書画・骨とう類を売却して、事業用資金としたものは課税の対象になりますか？	**なりません**

参考：法2①八、令2③、基通5−1−7、5−1−8

Q−13 保証債務を履行するための資産の譲渡

判 定 事 例	判 定
法人が取引先の銀行借入（500万円）の保証人となりましたが、取引先が倒産したため、設備を売却し、債務保証の履行を行いました。この設備の売却は、事業として行ったものではありませんが、課税の対象になりますか？	**なります**

 補足説明　法人の行う資産の譲渡等は、全て事業として行ったものとして課税の対象とされており、譲渡等の原因を問いません。

参考：法2①八、令2③、基通5−1−7、5−2−2

Q－14 ● ゴルフ会員権の課税関係

判 定 事 例	判 定
ゴルフ会員権の発行、売買等の各取引について、ゴルフ会員権には、株式形態のものと預託形態のものがありますが、この形態の相違により課税関係が異なることはありますか？	✕ ありません

参考：法別表第二第2号、令9②、基通5－5－5、6－2－2

Q－15 ● 個人事業者が所有するゴルフ会員権の譲渡

判 定 事 例	判 定
個人事業者が所有するゴルフ会員権を譲渡した場合、課税の対象になりますか？	✕ なりません

 補足説明　個人事業者が所有するゴルフ会員権は、会員権販売業者が保有している場合には棚卸資産に当たり、その譲渡は課税の対象となりますが、その他の個人事業者が保有している場合には生活用資産に当たり、その譲渡は課税の対象となりません。

参考：基通5－1－1（注）1、11－1－1

Q－16 ● ゴルフ場による預託金方式のゴルフ会員権の買取り

判 定 事 例	判 定
預託金の据置期間を満了した会員から預託金返還請求権に基づく預託金の返還を請求されるケースが増えています。 　この預託金返還請求権に基づき預託金を会員に返還する行為は、課税の対象になりますか？	✕ なりません

参考：法2①八、法別表第二第2号、令9②

Q−17 ゴルフ会員権の買取消却に係る課税関係

判 定 事 例	判 定
ゴルフ場に会員が多く、また、会員権の価格が安いこと等から、一部の会員から会員権を買取消却し、コース等を整備し、より良いコースにして、買取価格より高い価格で追加募集を予定している場合、このゴルフ会員権（預託金方式）を消却するために買い取る行為は、課税の対象になりますか？	 会員権の譲渡として課税対象となります

参考：法2①八、法別表第二第2号

Q−18 会社員が自宅に設置した太陽光発電設備による余剰電力の売却

判 定 事 例	判 定
会社員が自宅に太陽光発電設備を設置し、いわゆる太陽光発電による固定価格買取制度に基づいて、余剰電力を電力会社に売却している場合、課税の対象になりますか？	 事業としての資産の譲渡には該当せず課税対象となりません

参考：法2①八、4①、基通5−1−1

Q−19 先物取引の課税

判 定 事 例	判 定
国内における商品先物取引では、現物の受渡しが行われる場合と、差金授受が行われる場合とがありますが、課税の対象になりますか？ ①　現物の受渡しの場合 ②　差金授受の場合	 なります ✕ なりません

参考：基通9−1−24

Q−20 損害賠償金等の取扱い

判 定 事 例	判 定
損害賠償金、補償金、違約金等の収受は課税の対象になりますか？	
① 被った損害に対して支払われる損害賠償金	なりません
② 実質的に売買代金や貸付料等と同様の性格を有する損害賠償金	なります
③ 補償金・違約金	なりません

 補足説明　　一般的には、対価性がなく課税の対象となりませんが、対価性の有無について実質的に判断することとなります。

④ 土地収用法その他の法律の規定によりその所有権その他の権利を収用され、かつ、当該権利を取得する者から取得する当該権利の消滅に係る補償金（いわゆる対価補償金）	なります

参考：法4①、令2②、基通5−2−5、5−2−10

Q−21 駐車違反車両の移動料金の取扱い

判 定 事 例	判 定
違法駐車した車両のレッカー移動及び保管業務を請け負っている場合、請負代金として収受する移動料及び保管料は課税の対象になりますか？	なります

参考：法4①

Q－22 ● 立退料

判 定 事 例	判 定
借地に工場を建設して長年操業していた事業者が、地主から立退きを要求され、工場建物を自ら取り壊し更地にして明け渡す際に、建物価額3,000万円、取壊料2,000万円及び借地権相当額5,000万円を受け取ることになっている場合、これらは課税の対象になりますか？	 なりません

 補足説明　工場建物を地主に対して譲渡したものではなく更地で明け渡すため、自ら取り壊したもので地主から建物価額として受け取る金額は、立退料の算定の基礎とされているにすぎません。

参考：法2①八、十二、基通5－2－7、6－1－2

Q－23 ● 自ら管理する施設を移設する場合の移設補償金

判 定 事 例	判 定
電気供給会社が、送電線等の電気設備が設置されている場所で道路建設工事等が行われる際に、道路建設者から送電線等の移設の要請を受け、移設のために必要な費用として収受する移設補償金は、役務の提供の対価として課税の対象になりますか？	なりません

 補足説明　収受する移設補償金は、資産の移転に要する費用の補塡に充てるものとして交付を受ける補償金であり、資産の譲渡等の対価には該当せず、課税の対象にはなりません。

参考：基通5－2－10、5－5－1

Q－24 ● 租税特別措置法上の「対価補償金」とされる「移転補償金」

判 定 事 例	判 定
土地の収用等に伴い、資産の移転に要する費用の補塡に充てるために受ける移転補償金であっても、その交付を受ける者が実際にその資産を取り壊した場合には、租税特別措置法上、「対価補償金」として代替資産の帳簿価額の圧縮記帳等の特例が認められていますが、このような移転補償金は、対価補償金として課税の対象になりますか？	 なりません

参考：令2②、基通5－2－10

Q-25 土地収用法に基づく対価補償金

判 定 事 例	判 定

土地収用法に基づき土地、建物等が収用された場合に受け取る次のものは、課税の対象になりますか？

① 対価補償金

なります

補足説明　　土地に係る部分は非課税となります。

② 収益補償金

なりません

補足説明　　対価性のない補償金であり、課税の対象にはなりません。

③ 経費補償金

なりません

補足説明　　対価性のない補償金であり、課税の対象にはなりません。

④ 移転補償金

なりません

補足説明　　対価性のない補償金であり、課税の対象にはなりません。

参考：令2②、基通5－2－10

Q-26 移転困難として収用を請求し収用された建物に係る補償金

判 定 事 例	判 定
所有している土地が道路拡張のため収用されたことに伴い、当該土地の上に存在する建物を移転させられることとなったものの移転が著しく困難であることから、土地収用法第78条に基づき、当該建物の収用を請求し、収用されることとなった場合において、事業の用に供せず取り壊されることとなる当該建物の収用により受領することとなる土地収用法第80条に基づく補償金は、消費税法施行令第2条第2項に規定する補償金に該当し課税の対象になりますか？	 なります

 補足説明　　資産の譲渡の対価として課税の対象になります。

参考：令2②、基通5-2-10

Q-27 経営指導料、フランチャイズ手数料等

判 定 事 例	判 定
フランチャイズ店では、毎月売上利益の何％というように定められた金額を、経営指導料、フランチャイズ手数料、ロイヤリティなどの名目で手数料としてグループの主宰者に対して支払っていますが、これらの手数料は課税の対象になりますか？	 なります

 補足説明　　役務の提供の対価に当たり、課税の対象となります。

参考：基通5-5-1

Q－28 日本以外の二以上の国で登録されている特許権の譲渡

判 定 事 例	判 定
日本以外の二以上の国で登録されている特許権を、日本国内に住所地を有する権利者が譲渡した場合、資産の譲渡の場所は日本国内になりますか？	 **なります**

補足説明　　同一の特許権について、二以上の国で登録されているものの譲渡は、譲渡を行う者の住所地によって資産の譲渡の場所を判定することとなっていますので、たとえ日本国内の登録機関に登録されていない特許権であっても、譲渡に係る権利者の住所地となります。　　　　　参考：法４③、令６①五

Q－29 特許権等のクロスライセンス取引

判 定 事 例	判 定
特許権の実施権を互いに与え合う、いわゆるクロスライセンス契約を締結しており、使用料は互いに相殺し差額決済を行っている場合、課税の対象になりますか？	 **なります**

補足説明　　対価を得て行う資産の貸付けですので課税の対象になります。

参考：法２①八、②、４①、28①、令45②四

Q－30 京都メカニズムを活用した排出クレジットの取引

判 定 事 例	判 定
京都議定書に基づく京都メカニズムを活用した排出クレジット（以下「クレジット」といいます。）の売買は、課税の対象になりますか？	 **なります**

補足説明　　クレジットは資産性を有するものですので、国内において譲渡された場合、その取引は課税資産の譲渡に該当することとなります。
　　また、クレジットの譲渡が国内で行われたものかどうかの判定は、その譲渡を行う者のその譲渡に係る事務所等の所在地で判定することとなります。

参考：法２①八、十二、４①、令６①十、基通５－１－３

Q-31 自動販売機設置手数料

判　定　事　例	判　定
事業者が、清涼飲料メーカーが所有する自動販売機を設置し、収受している毎月設置に係る手数料は、課税の対象になりますか？	**なります**

参考：法2①八、4①、令2③

Q-32 会報、機関紙（誌）の発行

判　定　事　例	判　定
製品の製造に関する科学、技術の研究とその振興を図り、業界の進歩発展に寄与することを目的として設立された公益法人である協会が、製造技術等に関する専門誌として協会誌を発行し、協会会員に対して無料で配付し、また、会員以外の者に対しては購読料を受領して配付している場合、会員に対して配付する協会誌は課税の対象になりますか？	**なりません**

 補足説明

　会員等以外の者に対して購読料等の対価を得て配付するものは、課税の対象となりますが、会員等に対して無料で配付するものは課税の対象とはなりません。

　ただし、会報等の配付を受ける者から購読料、特別会費等の名目で対価を受領する場合には、その受領する金額は会報等の対価の額として課税されることになります。

参考：基通5-2-3

Q-33 補助金、奨励金、助成金

判　定　事　例	判　定
「障害者の雇用の促進等に関する法律」に基づく助成金のような国又は地方公共団体からの補助金等は、課税の対象になりますか？	**なりません**

参考：基通5-2-15

Q−34 譲渡担保等

判 定 事 例	判 定

事業者が、いわゆる譲渡担保契約により債務の弁済の担保として資産の譲渡を行った場合、課税の対象になりますか？

① 契約書に次の全ての事項を明らかにし、自己の資産として経理している場合

(イ) その担保に係る資産をその事業者が従来どおり使用収益すること。

(ロ) 通常支払うと認められるその債務に係る利子又はこれに相当する使用料の支払に関する定めがあること。

×
なりません

 補足説明

形式上買戻し条件付譲渡又は再売買の予約とされているものであっても、上記のような条件を具備しているものは、譲渡担保に該当するものとして取り扱われます。

上記(ロ)の利子又は使用料は、消費税法別表第二第3号《利子を対価とする貸付金等》に掲げる利子に該当するものとして取り扱われます。

② ①の場合において、譲渡の後、①(イ)(ロ)の要件のいずれかを欠くに至った場合

○
なります

③ ①の場合において、譲渡の後、債務不履行のための弁済に充てられた場合

○
なります

参考：基通5−2−11、所基通33−2、法基通2−1−18

Q−35 広告宣伝用資産の贈与

判 定 事 例	判 定

ＴＶコマーシャルに出演したタレントに、他社の自動車を使用しないことを条件に、新車を贈与した場合、負担付き贈与として課税の対象になりますか？

×
なりません

 補足説明

広告宣伝用資産の贈与は、負担付き贈与には該当せず、自社の役員に対する贈与を除き、課税の対象となりません。

参考：令2①一、基通5−1−5

Q−36 法人が役員に退職金としてゴルフ会員権を支給した場合

判 定 事 例	判 定
臨時株主総会及び取締役会の決議により、退任する取締役に対し、退職金として現金200万円及び所有するゴルフ会員権（時価1,800万円）を支給することとなった場合、このゴルフ会員権の役員への引渡しは、課税の対象になりますか？	 ✕ **なりません**

 補足説明　ゴルフ会員権の引渡しが、退任した役員に退職給与の支払いとして行うものであることが明らかな場合（過去の職務執行に対する対価の後払いと認められる場合）には、課税の対象にはなりません。

参考：法2①八、4⑤二、基通5−1−4、法基通9−2−9(1)

Q−37 共同企業体（ＪＶ）の出資金、配賦金

判 定 事 例	判 定
共同企業体（ＪＶ）を組んで建設工事を行う場合、共同企業体に対する出資金や配賦金は、課税の対象になりますか？	
①　出資金を支出した場合	✕ **なりません**
②　出資金により共同企業体が建設資材等を購入した場合	○ **なります**
③　配賦金が分配された場合	✕ **なりません**

参考：基通1−3−1、9−1−8

Q－38 共同企業体における内部取引

判 定 事 例	判 定
共同企業体の工事において、持分比率を超えて供出した機械の使用損料を他の構成員から徴収しているこの使用損料は課税売上げになりますか？	なります

 補足説明　各構成員の持分比率を超えてその費用等を負担した構成員が他の構成員から徴収する費用等の相当額は、他の構成員に対して行った資産の譲渡等の対価であると認められ、課税の対象になります。　参考：基通1－3－1

Q－39 ホテルの客のタクシー代の立替払

判 定 事 例	判 定
ホテルが、タクシー代や宴会のコンパニオン派遣料等を顧客に代わって立替払する場合、課税の対象になりますか？	なりません

 補足説明　立替払したタクシー代やコンパニオン派遣料の実費に、更にホテル等のマージンを上乗せして顧客から領収する場合には、その領収する金額の全額が、資産の譲渡等の対価として課税の対象になります。　参考：法2①八

Q－40 別途収受する配送料の課税

判 定 事 例	判 定
商品代金とは別に配送料を受領している場合、この配送料は課税の対象になりますか？	なります

 補足説明　配送を自社で行わず、郵便小包や宅配便などにより行う場合で、商品の販売者が商品の購入者から郵便料や宅配料（消費税等を上乗せした料金）の実費を預り、帳簿上も預り金又は仮受金等として処理し、料金を預り金等から直接支払うなど、損益にかかわらない方法で経理しているときは、その預り金等として経理した部分については商品販売者の売上げには該当しませんので、課税されません。　参考：法2①八、4①、基通10－1－16

Q-41 実費弁償金の課税

判 定 事 例	判 定
弁護士の収入の中に実費弁償たる宿泊費や交通費が含まれている場合、これらを立替金として処理していれば、課税の対象になりませんか？	○ **なります**

 補足説明　依頼者が本来納付すべきものとされている登録免許税や手数料等に充てるものとして受け取った金銭については、それを立替金等として報酬又は料金と明確に区分経理している場合は、課税の対象となりません。

参考：基通10-1-4

Q-42 下請業者に対する立替金

判 定 事 例	判 定
建築請負業者が、建設現場の作業所等において下請業者等の負担すべき費用を立替払し、立替金として費用を徴収する場合は課税売上げになりますか？	× **なりません**

Q-43 荷主に代わって購入する運送用パレット

判 定 事 例	判 定
運送業者が、運送用のパレットを荷主に代わって立替購入し、その代金を荷主から運賃に上乗せする形で領収する場合、このパレット代は課税の対象になりますか？	○ **なります**

 補足説明　パレットを運送会社が調達した場合であっても、その購入が荷主に代わって行われ、代金については立替金として区分経理し、別途荷主から領収することとしている場合には、運送会社に課税関係は生じません。

参考：法2①八、4①

Q−44 テナントから領収するビルの共益費

判 定 事 例

ビル管理会社等がテナントから受け入れる水道光熱費等の共益費等、いわゆる「通過勘定」という実費精算的な性格を有するものは、課税の対象になりますか？

① 水道光熱費、管理人の人件費、清掃費等を共益費等と称して各テナントから毎月一定額領収し、その金額の中から経費を支払う方法の場合

② 水道光熱費等の費用がメーター等により各テナントごとに区分されており、かつ、ビル管理会社等がテナント等から集金した金銭を預り金として処理し、電力会社等に支払う場合

判 定

なります

✕

なりません

参考：基通10−1−14

Q−45 百貨店等が顧客サービスとして発行するお買物券等の課税関係

判 定 事 例

顧客の購買データをポイント化し、交付した、自店のみで使用できる「お買物券」等の金券を使用して顧客が買物をした場合、顧客は商品の価額からお買物券の券面額を差し引いた金額を支払うことになりますが、このお買物券に関しては課税の対象になりますか？

判 定

✕

なりません

 補足説明　事業者がお買物券等を自ら作成し、顧客の購買金額に応じて、当該お買物券等を交付する行為は、無償の取引であり資産の譲渡等に該当せず、課税の対象になりません。

参考：法2①八、4①、28

Q－46 消費者が集めたスタンプを商品券と引き換えた場合の取扱い

判　定　事　例	判　定

協同組合が加盟店である組合員に対して、トレーディングスタンプを発行し、それを集めた消費者に対して、そのスタンプの枚数に応じて加盟店共通の商品券と引き換えることとした場合、次のようなスタンプと商品券の引換えに係る取引は課税の対象になりますか？

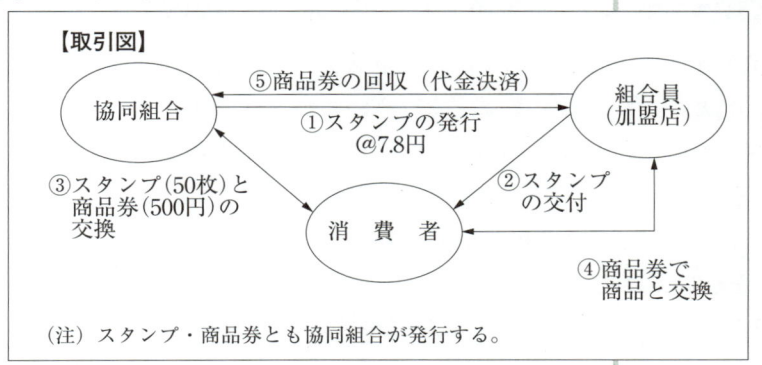

【取引図】

⑤商品券の回収（代金決済）
協同組合 → 組合員（加盟店）
①スタンプの発行 @7.8円
③スタンプ（50枚）と商品券（500円）の交換
②スタンプの交付
消費者
④商品券で商品と交換

（注）スタンプ・商品券とも協同組合が発行する。

① スタンプの発行

　　〇 なります

② スタンプの交付

　　✕ なりません

③ スタンプを提示した客に商品券を引き渡す行為

　　✕ なりません

④ 商品券と商品の交換

　　〇 なります

⑤　商品券の回収

なりません

参考：法2①八

Q－47　建設中に不可抗力により生じた損害の負担

判　定　事　例	判　定

建設中の建物やそれに要する資材等が風水害、地震等の不可抗力により滅失、き損した場合に、契約に基づき建設工事の発注者から受け取る次の①〜③の損害額相当額は、課税の対象になりますか？

なお、発注者の負担に係る建設中の建物等について、発注者は引渡しを受けていません。

①　建設中の建物……出来高部分の復旧に要する費用相当額

②　資材………………資材の購入代金相当額

③　使用機械器具……滅失時以後の期間の償却費

なります

参考：法2①八

Q－48　火災による資産の焼失と損害保険金収入

判　定　事　例	判　定

倉庫が火災に遭い、倉庫及びその中に保管していた仕入商品が全焼した場合、次のものは課税の対象になりますか？

①　火災保険に加入していたため受領した倉庫及び商品の保険金

②　火災により全焼した商品の課税仕入れ

なりません

仕入税額控除の適用ができます

参考：基通5－2－4、5－2－13、11－2－8、11－2－9

Q−49 輸送事故に伴う損害賠償金

判 定 事 例	判 定
製造業者が依頼している運送業者が運送中の事故により製品を販売先に引き取ってもらえないときは、その製品の取引価額相当額を運送業者より損害賠償金として受け取ることとしている場合において、次の①、②の場合、課税の対象になりますか？ ① 損害を受けた棚卸資産等がそのまま又は軽微な修理を加えることにより使用できるとき	 なります

 補足説明　譲渡代金に相当する損害賠償金は資産の譲渡等の対価に該当し、消費税の課税の対象になります。

② 損害を受けた棚卸資産等がそのまま又は軽微な修理を加えても使用できないとき	 なりません

参考：基通5−2−5

Q−50 遅延損害金

判 定 事 例	判 定
協同組合が組合員に対する証書貸付けの貸付金に年3.0％の利息を付しており、貸付金の返済が遅れた場合には、利息に代えて年利12.0％の遅延損害金を徴収することとしている場合、この遅延損害金は、課税の対象になりますか？	 なります （非課税）

参考：法6①、令10①、基通5−2−5

Q-51 割増賃貸料

判 定 事 例	判 定

賃借人が契約条件に従わないなど、賃借人に債務不履行があったような場合には、貸事務所業者が退去を求め、通告した期限までに退去しないときには、本来の賃貸料の３倍に相当する額を賃貸料として徴収することとしている場合、本来の賃貸料を超える部分の金額は損害賠償金あるいは違約金的なものとして課税の対象になりますか？

〇
なります

補足説明
賃借していた者が正当な権限なくして事務所を使用収益している事実に対し、その使用収益の対価として徴収するものと認められますから、いわゆる割増賃貸料としてその全額が事務所の貸付けの対価に該当することになり、課税の対象となります。

参考：基通５−２−５

Q-52 違約者から受け取る使用料相当額

判 定 事 例	判 定

購入者が購入代金を支払不能となった場合には、土地付住宅の分譲販売業者が販売代金相当額によりその分譲住宅を買い取るとともに、購入者からその販売から買取りまでの期間に応じた「使用料相当額」を徴収することになりますが、この「使用料相当額」は住宅の貸付けの対価になりますか？

なお、この使用料相当額は、住宅の減価償却費と金利を基礎として算定するものとします。

〇
住宅の貸付けの
対価となります

補足説明
売買契約書において、入居後契約を解除した場合は、契約解除までの期間に対応する使用料相当額を購入者から徴収することが明らかにされているときは、契約解除により徴収することとなる使用料相当額は、非課税となります。

参考：法２①八、法別表第二第13号、基通５−２−５

Q－53 違約金として徴収する保管料

判 定 事 例	判 定
組合員の便宜のために共同倉庫を設け、この倉庫に在庫した商品を売却する場合には、売却後10日以内に搬出することを義務付け、期限までに搬出しないときは、搬出未了の商品について、倉庫の運営が害されるため、損失補塡を目的とした賠償金として１日につき売買価額に年率10％を乗じた額の「違約金」を受け取る場合、課税の対象になりますか？	なります

 補足説明　遅滞期間に応じて徴収する保管料に相当するものと認められますので、役務の提供の対価として課税の対象となります。

参考：基通５－２－５

Q－54 ガスボンベの長期停滞料、貸付保証金

判 定 事 例	判 定
プロパンガスの販売に関する次の場合、課税の対象になりますか？ ①　ガスボンベを無償で貸し付け、一定期間内に返還されない場合に長期停滞料を徴収する場合	なります

 補足説明　返還すべき期日を経過した後におけるガスボンベの貸付けに係る対価と認められますから、消費税の課税の対象となります。

②　臨時、短期のユーザーにガスを販売する際に保証金を収受する場合	なりません

 補足説明　臨時、短期のユーザーからの預り金として経理している限り、資産の譲渡等の対価に該当しません。

③　ガスボンベが返還されなかったことにより保証金を没収する場合

㈠　当事者間においてガスボンベの対価として処理する場合

なります

補足説明

ガスボンベの譲渡の対価として課税の対象になります。

㈡　当事者間において損害賠償金として処理する場合

なりません

補足説明

損害賠償金は、資産の譲渡の対価には該当しないものとして取り扱います。
（注）　㈠又は㈡のいずれによるかは、当事者間で授受する請求書、領収書その他の書類で明らかにする必要があります。

④　ガスボンベが破損したことにより保証金を没収する場合

なりません

補足説明

破損修理代金を補填するための損害賠償金と考えられますので、原則として課税の対象にはなりません。

参考：基通5－2－5、5－2－6

Q−55　情報提供契約の解除に伴う違約金

判 定 事 例	判 定
情報提供契約において、ユーザーが事情により契約の全部又は一部を中途解約した場合には、契約の残存期間中に支払を受けるべき情報提供料に相当する金額を相手方から受領することにしている場合、この残存期間の情報提供料に相当する金額は、課税の対象になりますか？ （情報提供契約の内容） 1　株式相場、統計、ニュース等の情報を提供するためユーザーに端末機を設置する。 2　機械はユーザーに専有されるのみで、所有権は当社に属する。 3　情報提供料は、設置する端末機の台数に応じ月額で定め、支払は前月末払いとする。 4　契約期間は2年とする（終了する旨の通知がない場合は、1年間自動更新とする。）。 5　中途解約により端末機を一部又は全部撤去することになっても、契約の残存期間の情報提供料相当額をユーザーから受領する。	 なりません

 補足説明　ユーザーから受領する契約の残存期間の情報提供料相当額は、役務の提供の対価には該当せず、固定された契約期間の残存期間において生じる逸失利益を補償する性格のものと認められ、課税の対象になりません。

参考：基通5−2−5

Q−56 ● 所有権移転外ファイナンス・リース取引の解約損害金

判 定 事 例	判 定

　リース取引（所有権移転外ファイナンス・リース取引）を行うに当たり、契約期間終了前に契約を解約する場合、リース業者はユーザーから次のような規定損害金を徴収することとしている場合は課税の対象になりますか？

① 　リース物件の消滅によりユーザーから徴収する損害金

なりません

補足説明

リース資産に加えられた損害の発生に伴い受ける損害賠償金であり、対価性がないと認められますから課税の対象とはなりません。

② 　ユーザーの倒産等により強制的に解約した場合にユーザーから徴収する損害金

なりません

補足説明

逸失利益の補償金と認められますから課税の対象とはなりません。

③ 　リース物件のグレードアップ等を図るため、リース業者及びユーザーが合意の下に解約した場合のユーザーから徴収する損害金

なります

補足説明

解約までのリース期間のリース料の増額修正の性格を有するものと認められますから、課税の対象になります。

参考：基通５−２−５

Q−57　所有権移転外ファイナンス・リース取引に係る残存リース料の取扱い

判　定　事　例	判　定

　リース取引（所有権移転外ファイナンス・リース取引）について、契約期間終了前に次の①から③に該当し、リース契約を解約した場合、賃借人が賃貸人に支払うこととなる残存リース料は、仕入税額控除の対象になりますか？

　また、賃貸人においては課税の対象になりますか？

1　賃借人の取扱い

①−1

　賃借人の倒産、リース料の支払遅延等の契約違反があったとき

なりません

補足説明　リース物件の資産の譲受けは、その引渡しの際に行われており、賃借人から賃貸人への残存リース料の支払は譲受けに係るリース債務の返済にすぎないため、消費税法上、課税の対象外となります。

①−2

　賃借人の倒産、リース料の支払遅延等の契約違反があったときで、賃借人が賃貸人にリース物件を返還し、残存リース料の一部又は全部が減額された場合

なります

補足説明　賃借人はリース物件の返還があった時において、代物弁済による資産の譲渡があったものと認められ、代物弁済により消滅する債務の額として、この減額した金額を対価とする資産の譲渡が行われたものとして取り扱われます。

②−1

　リース物件が滅失・き損し、修復不能となったとき

なりません

補足説明　上記①−1と同様に、リース債務の返済にすぎないため、消費税法上、課税の対象外となりますので、残存リース料の支払は、仕入税額控除の対象になりません。

②−2

　リース物件が滅失・き損し、修復不能となったときで、賃貸人にリース物件の滅失等を起因として保険金が支払われることにより残存リース料の一部又は全部が減額される場合

なります

補足説明　リース料の値引きがあったものと認められ、この残存リース料の減額は仕入れに係る対価の返還等として取り扱われます。

③−1

　リース物件の陳腐化のための借換えなどにより、賃貸人と賃借人との合意に基づき、解約するとき

なりません

補足説明　上記①−1と同様に、リース債務の返済にすぎないため、消費税法上、課税の対象外となりますので、残存リース料の支払は仕入税額控除の対象になりません。

③−2

　賃貸人と賃借人との合意に基づき、リース物件の陳腐化のため、リース物件を廃棄するとともに、残存リース料の一部又は全部を減額する場合

なります

補足説明　リース料の値引きがあったものと認められ、この残存リース料の減額は仕入れに係る対価の返還等として取り扱われます。

２　賃貸人の取扱い

①　賃借人の倒産、リース料の支払遅延等の契約違反があったとき

なります

補足説明

　次のイ又はロのいずれかの課税期間に、残存リース料を対価とする資産の譲渡等を行ったものとみなされ、消費税が課されることとなります。

　また、賃借人が賃貸人にリース物件を返還し、残存リース料の一部又は全部を減額した場合、この減額は、リース物件の返還があった時において、代物弁済が行われたものと認められ、資産の譲受けの対価として取り扱われます。

イ　延払基準を適用していたリース取引について中途解約により延払基準の方法により経理をしなかった決算に係る事業年度終了の日の属する課税期間

ロ　リース譲渡に係る資産の譲渡等の時期の特例(注)を適用していたリース譲渡に係る契約解除等を行った事業年度終了の日の属する課税期間

(注)　「リース譲渡に係る資産の譲渡等の時期の特例」とは、法人税法第64条の2第3項に規定するリース取引による同条第1項に規定するリース資産の引渡し（以下「リース譲渡」といいます。）を行った場合に適用できる規定で、リース譲渡の対価の額からその原価の額を控除した金額の20％相当額（以下「利息相当額」といいます。）とそれ以外とに区分した場合、次のイ及びロの合計額は益金の額に算入されることから、消費税法上においてもイ及びロの合計額は、リース譲渡収益額として、リース譲渡をした日の属する課税期間の翌課税期間の初日以後にその事業年度終了の日が到来する各事業年度終了の日の属する課税期間において資産の譲渡等の対価とされることとなります。

イ　リース譲渡の日の属する事業年度以後の各事業年度の収益の額として、リース譲渡の対価の額から利息相当額を控除した金額をリース期間の月数で除し、これに当該事業年度における当該リース期間の月数を乗じて計算した金額

ロ　利率を支払期間、支払日、各支払日の支払額、利息の総額及び元本の総額を基礎とした複利法により求められる一定の率として賦払の方法により行うものとした場合に当該事業年度におけるリース期間に帰せられる利息の額に相当する金額

② リース物件が滅失・き損し、修復不能となったとき

なります

補足説明

　上記①と同様に、解除等の日の属する課税期間に残存リース料を対価とする資産の譲渡等があったものとみなされ、消費税が課されることとなります。

　また、リース物件が滅失・毀損し、修復不能を起因として賃貸人に保険金が支払われることにより、残存リース料の一部又は全部を減額した場合、リース料の値引きを行ったものと認められ、この減額した金額は売上げに係る対価の返還等として取り扱われます。

③ リース物件の陳腐化のための借換えなどにより、賃貸人と賃借人との合意に基づき、解約するとき

なります

補足説明

　上記①と同様に、解除等の日の属する課税期間に残存リース料を対価とする資産の譲渡等があったものとみなされ、消費税が課されることとなります。

　また、賃貸人と賃借人の合意に基づき、残存リース料の一部又は全部が減額された場合、リース料の値引きを行ったものと認められるため、この減額した金額は売上げに係る対価の返還等として取り扱われます。

参考：法16②、令32①、36の2③、45②一、基通9－3－6の3、法法63①、64の2①③、法令125①②

Q－58　賃借人が賃貸借契約を解除した場合に支払う解約金

判　定　事　例	判　定
賃借していた事務所を閉鎖することになったため、賃貸借契約を中途解約する場合、解約日から賃借期間の満了日までの期間の賃借料相当額の解約金は、課税の対象になりますか？	 **なりません**

補足説明

　被った損失（本来得られるはずであった利益）の補填として支払うものですから、資産の譲渡等の対価には該当しません。

参考：基通5－2－5

Q−59 ● キャンセル料として領収する予約金

判 定 事 例	判 定
ゴルフ場が予約の際に収受する利用者からの予約金を、その予約がキャンセルされたときにキャンセル料として領収する場合、課税の対象になりますか？	**なりません**

参考：基通5−2−5、5−5−2

Q−60 ● 早期完済割引料

判 定 事 例	判 定
延払販売に係る対価について、消費税法施行令第10条第3項第10号《延払販売等に係る利子等の非課税》の規定の適用を受ける場合には、本体価額と利子とを区分して得意先に明示するとともに、得意先が繰上弁済をする場合には、残賦払金の1％〜3％を早期完済割引料と称して金銭で収受するこの完済割引料は、課税の対象になりますか？	**なりません**

 補足説明

本体価額と利子とを得意先に区分明示して行った延払販売について、得意先が繰上弁済をしたことにより徴収する早期完済割引料は、逸失利益を補償するために受け取る損害賠償金に該当するものと認められますので、課税の対象とはなりません。

なお、得意先が繰上弁済をしたことにより徴収する金銭が弁済時期にかかわらず一定となっているような場合は、解約手数料等を対価とする役務の提供に該当しますので、課税の対象となります。

参考：法4①、6、法別表第二第3号、令10③十、基通5−2−5、5−5−2

Q−61 ● セミナー等の会費

判 定 事 例	判 定
会費制による各種のセミナーや講座等の会費は、課税の対象になりますか？	**なります**

 補足説明

会員に対して講義、講演を行う対価として受け取るものであることから、役務の提供に対する対価に該当することとなります。

参考：法2①八、4①、基通5−5−3

Q－62 会費名目の情報の提供料

判 定 事 例	判 定
業者団体は、入会希望者から情報の提供を受ける旨、そのために入会金及び年会費を支払うことを記載した「入会申込書」の提出を受け、また、入会金及び年会費を支払っている会員に対してのみ、国際取引を行う上で有益な情報提供していますが、入会金及び年会費は、課税の対象になりますか？	**なります**

 補足説明

入会金や年会費は明らかに情報の提供を受ける対価として支払われるものと認められますので、課税の対象になります。

参考：基通5－5－3、5－5－4

Q－63 同業者団体等の通常会費

判 定 事 例	判 定
同業者団体、組合等が、その構成員を対象として行う広報活動や調査研究、福利厚生その他同業者団体、組合等としての通常の業務運営の費用に充てるために徴収する会費は、課税の対象になりますか？	**なりません**

 補足説明

通常会費は、同業者団体、組合等がその構成員に対し特別の給付等を行うものでない限り対価性は認められませんので、課税の対象にはなりません。

なお、名目が会費等とされている場合であっても、それが実質的に出版物の購読料、映画・演劇等の入場料、職員研修の受講料又は施設の利用料等と認められるときは、その会費等は資産の譲渡等に係る対価に該当することとなります。

参考：基通5－5－3、11－2－4

Q－64 カタログ作成のための負担金

判 定 事 例	判 定
お中元商品のカタログを自己名義で作成する場合、当該カタログに掲載する商品のメーカー等から負担金を徴することとしていますが、この負担金は課税の対象になりますか？ （注） 当該カタログは社名入りで作成されます。	**なります**

 補足説明

広告、宣伝に係る役務の提供の対価となり、課税の対象となります。

参考：基通1－3－1、5－5－7

Q−65 共同販売促進費の取扱い

判 定 事 例	判 定
契約に基づいてメーカー等が自己及び系列販売店のために展示会等を行い、これに要した費用の一部を系列販売店が負担することとしている共同販売促進費の分担金は課税の対象になりますか？	**なります**

 補足説明　メーカー等においては、課税資産の譲渡等に該当し、系列販売店においては課税仕入れに該当します。

参考：法2①八、九、十二、基通5−5−7

Q−66 同業者組合が宣伝事業に充てるために徴収する負担金

判 定 事 例	判 定
特定の事業を営む者で組織された同業者組合が、組合員の事業の需要開発のために行っている組合員事業のテレビ、ラジオ、新聞による宣伝活動について、特別会計を設けて、その負担金を組合員から徴収している場合、この負担金収入は、課税の対象になりますか？	**なります**

 補足説明　構成員に対し特定の役務の提供を行うための対価と認められますので、課税の対象となります。

参考：基通5−5−3、5−5−7

Q−67 記念行事の費用を賄うために徴収する特別負担金

判 定 事 例	判 定
特定の事業を営む事業者で組織された同業者組合が、組合設立記念式典等の記念行事（功労者表彰を行った後パーティーを催します。）を開催するに当たり、その行事に参加した組合員のみから特別に負担金を徴収することとしている場合、課税の対象になりますか？	**なりません**

 補足説明　組合員の負担金と組合が参加組合員に対して行う役務の提供との間に明白な対価関係があるとは認められず、課税の対象にはなりません。

参考：基通5−5−3

Q−68 電気、ガス等の工事負担金

判 定 事 例	判 定
電気、ガス、水道水、電話の供給等に際し、需要者から収受する工事負担金は、課税の対象になりますか？	**なります**

 補足説明　工事負担金が、電気ガス供給施設利用権、水道施設利用権、電気通信施設利用権の権利の設定に係る対価と認められる場合には、資産の譲渡等に係る対価に該当し、課税の対象となります。

参考：基通5−5−6

Q−69 輸入品について海外の購入先から受ける割戻し

判 定 事 例	判 定
ある商品を輸入した後で、海外の購入先からその商品取引に対する割戻しの送金を受けました。この割戻しは、契約書等で定められたものではなく、輸入後に決定し、支払の通知を受けたもので、輸入通関時の課税標準からは控除されません（関税定率法基本通達4−2の2）。 また、既に納付した関税額については、この割戻しにより修正を行うことはありません。 この割戻額について、課税関係は生じますか？	**課税関係は 生じません**

 補足説明　割戻しは、輸入貨物に係る価格の調整として支払われるものとは認められないので、これによって取引時の課税標準が修正されるものではありません。

したがって、割戻しによって、引取りに係る消費税額を調整する必要もないことから、課税関係は生じないことになります。

参考：法28④

Q−70 建物賃貸借に係る保証金から差し引く原状回復費用

判 定 事 例	判 定
マンションの貸付け時に収受している保証金から差し引かれる、賃借人が退去する際の原状回復工事に要した費用相当額は、課税の対象になりますか？	**なります**

 補足説明　賃借人に代わって賃貸人が行う原状回復工事は、賃貸人が賃借人に対して行う役務の提供に該当し、課税の対象となります。

参考：法2①ハ、基通5−5−1

Q−71 貸ビル建設期間中に借主が支払う地代相当額

判 定 事 例	判 定
貸主が所有の土地に建設するビルを専属的に賃借することを条件として、借主が貸主に当該ビルの建設期間中に係る地代相当額を支払う場合は、課税の対象になりますか？	**なります**

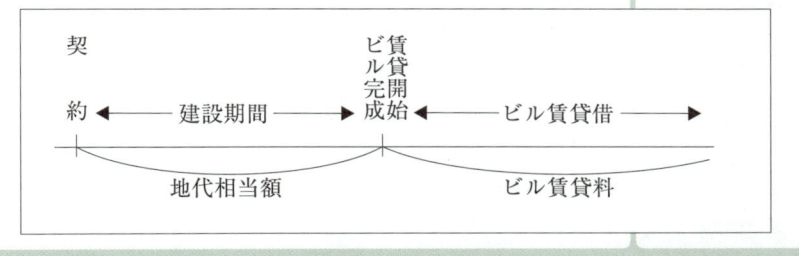

 補足説明　地代相当額は、ビルの賃貸に係る権利の設定の対価として課税の対象となります。

参考：法2②、法別表第二第1号、基通5−4−3

Q-72 無事故達成報奨金、工事竣工報奨金

判 定 事 例	判 定

建設業界では、慣例として、一つの建設工事が終了した際に工事中に事故がなかったことや当初予定した期日よりも早く工事が完成したことなどを理由として、施主から工事請負業者に無事故達成報奨金あるいは工事竣工報奨金という名目の金銭が支払われることがありますが、このような報奨金は、課税の対象になりますか？

×

なりません

 補足説明　無事故達成報奨金、工事竣工報奨金は、一種の謝礼金的なものですから、具体的な役務の提供に対する対価とは認められず、課税の対象とはなりません。

参考：法2①八、4①、基通5－1－2、5－2－14

Q-73 親会社の支払う事務委託費

判 定 事 例	判 定

全額出資の子会社が、親会社の事務を代行している場合には、その親会社から収受する事務委託費は、課税の対象になりますか？

○

なります

 補足説明　人格の異なる者の間で行われる取引である事務委託費は、事務の代行という役務の提供の対価として課税の対象となります。

参考：法2①八、九

Q-74 ロイヤリティ、デザイン料

判 定 事 例	判 定

ロイヤリティ、デザイン料は、課税の対象になりますか？

○

資産の貸付けの対価として課税の対象になります

 補足説明　「資産の貸付け」には、資産に係る権利の設定その他他の者に資産を使用させる一切の行為を含むこととされていますので、ロイヤリティやデザイン料は、特許、商標又は意匠等の権利を使用させる対価に該当し、資産の貸付けの対価として課税の対象となります。

参考：法2②、基通5－4－2

Q−75 共同施設の負担金

判 定 事 例	判 定
組合員のための共同施設として、組合が所有権を有する組合会館を建設するため、組合員から特別負担金として各員50万円を徴収して、建設に要した借入金の返済に充てることにした場合、この組合員から徴収する特別負担金は、課税の対象になりますか？	 **なりません**

 補足説明　　組合員から徴収する特別負担金と組合会館との間に明白な対価関係があるかどうかの判定が困難ですから、その徴収する特別負担金について組合が資産の譲渡等に係る対価に該当しないものとし、かつ、その負担金を支払う組合員の方でもその支払を課税仕入れに該当しないこととしている場合には、課税の対象外として取り扱って差し支えありません。

参考：法2①八、基通5−5−6

Q−76 未経過固定資産税等の取扱い

判 定 事 例	判 定
不動産売買契約において、固定資産税、都市計画税の未経過分を買主が負担する場合は課税の対象になりますか？	 **なります**

 補足説明　　未経過分の固定資産税相当額は、税金として買主に課されるべきものではなく、いわば、売主との値決めの際の一要素となるもので、その不動産の譲渡の対価を構成することになりますので、課税の対象となります。

参考：法2①八、4①、基通10−1−1、10−1−6

Q−77 不動産の引渡しに伴う移転登記が遅れた場合の固定資産税

判 定 事 例	判 定
昨年12月下旬に土地及び建物を譲渡したものの、所有権移転登記は本年1月になってから行った場合、固定資産税はその年の1月1日における登記名義人に納税義務が課されることから、当該土地・建物の本年分の固定資産税は昨年中に譲渡したにもかかわらず譲渡者に課されるため、いったん、納付した上で後日当該固定資産税相当額を譲渡先から収受した場合、固定資産税相当額は課税対象になりますか？	✕ なりません

 補足説明　　譲渡先から収受した固定資産税相当額は、それを固定資産税相当額であることを明記して収受する限り、その土地・建物の譲渡の対価には該当せず、課税の対象とはなりません。

参考：基通10−1−6㊟

Q−78 材料等の有償支給の場合

判 定 事 例	判 定
下請に支給した材料等の受払管理を的確に行わせるため、有償支給制度をとっている場合は、実質的に無償支給となるようなものでも課税の対象になりますか？	◯ なります

 補足説明　　有償支給を受けた下請業者は、課税仕入れに係る仕入税額控除ができ、また、下請で製造した製品を元請会社が購入する場合にも、その材料代等を含んだ価額を基に課税仕入れに係る仕入税額控除ができますから、実質的な課税額は無償支給による場合と同じとなります。

　ただし、有償で支給する場合であっても、支給材料等の品質管理や効率的使用等の観点から、形式的に有償支給の形態を採っているもので、材料等の支給取引について売上げ、仕入れ等の損益科目でなく、仮払金又は未収金とする経理方法等を通じて支給する材料等を元請会社が自己の資産として管理しているときは、課税の対象とはなりません。

参考：基通5−2−16

Q−79 ● 従業員に対する食事の提供

判 定 事 例	判 定

従業員に対する食事の提供が次のような支給形態の場合、課税対象になりますか？

① 直営食堂施設で食事を無償提供した場合

なりません

 補足説明

　従業員に対して無償で食事を提供するのであれば、対価を得ていませんから、課税の対象にはなりません。

　また、直営の給食施設の経営に係る資産の譲受け、借受け、役務の提供を受けることに係る費用については、賄いの従業員等に対する給与の支払に係るもの以外は、従業員に対する食事の提供が現物給与課税の対象とされるかどうかに関係なく、原則として課税仕入れに係る支払対価に該当します。

② 直営食堂施設で代金を徴収して食事を提供した場合

なります

 補足説明

　対価を得て食事を提供しているわけですから、課税資産の譲渡等として課税の対象になり、従業員から受領する食事代金がその対価（税込み）となります。

　施設の維持費等については、①と同様です。

③ 委託給食施設で無償で食事を提供した場合

なりません

 補足説明

　食事の無償提供については、①と同様です。

　また、委託先の食堂に支払う委託費については、従業員に対する食事の提供が現物給与課税の対象とされるかどうかに関係なく、課税仕入れに係る支払対価に該当します。

④　委託給食施設で代金を徴収して食事を提供した場合

なります

 補足説明　従業員から受領する食事代については②と、また、委託先に支払う委託費については③と同様です。

⑤　外部から購入した弁当を無償で提供した場合

なりません

 補足説明　弁当の無償提供については①と同様です。
　また、弁当の購入費用については、従業員に対する食事の提供が現物給与課税の対象とされるかどうかに関係なく、課税仕入れに係る支払対価に該当します。

⑥　外部から購入した弁当を会社で代金の一部を負担して有償で提供した場合

なります

 補足説明　弁当代等の一部を負担して有償で従業員に提供した場合であっても、従業員から受領する弁当代が課税資産の譲渡等の対価（税込み）に該当します。
　また、弁当の購入費用については、⑤と同様です。

⑦　食事代として現金支給した場合

なりません

 補足説明　食事手当については、支給を受けた従業員においては、給与所得に係る収入金額に該当しますので、支払った事業者においては、課税仕入れには該当しません。

参考：法2①八、九、十二、4①、令2③、基通11－2－1

Q−80 研修寮の実費弁償的な寮費

判 定 事 例	判 定
研修センターで1週間程度の研修を年に何度か行っており、遠隔地から研修に参加する社員のために、研修寮を設け、実費の総額にも満たない金額の寮費を徴収している場合の寮費は課税の対象になりますか？	○ なります

 補足説明　　対価を得て行う資産の貸付けですから、課税の対象となります。

参考：法2①八、令16の2

Q−81 給与負担金等の取扱い　その1

判 定 事 例	判 定
親会社との出向契約に基づいて出向してきた親会社の技術担当社員から、新製品の製造に関する技術指導を受けることとなり、出向社員の給与は親会社で支給することとし、子会社では出向社員の給与に相当する額を給与負担金として親会社に支払うほか、出張旅費、通勤費などの実費も支払うこととした場合、子会社が負担する給与負担金及び出張旅費などの実費相当額は課税仕入れになりますか？	

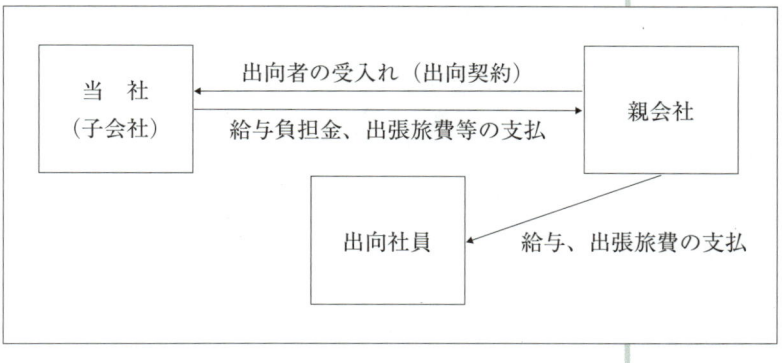

① 給与負担金

なりません

 補足説明 　給与負担金は、本来子会社が負担すべき給与に相当する金額ですから、課税資産の譲渡等の対価にならず、課税仕入れには該当しません。

② 出張旅費、通勤費など（旅費等）の実費

なります

参考：基通5－5－10

Q－82 給与負担金等の取扱い　その2

判　定　事　例	判　定

子会社に対し新製品の製造技術を指導するために、出向契約に基づいて親会社から社員を出向させており、出向社員に対する給与等は子会社において支払いますが、支払金額については親会社の給与規定に基づいて計算し、子会社が負担する給与相当額との差額を親会社から子会社に対し支払うことにしている場合の差額金（給与負担金）は、課税の対象になりますか？

なりません

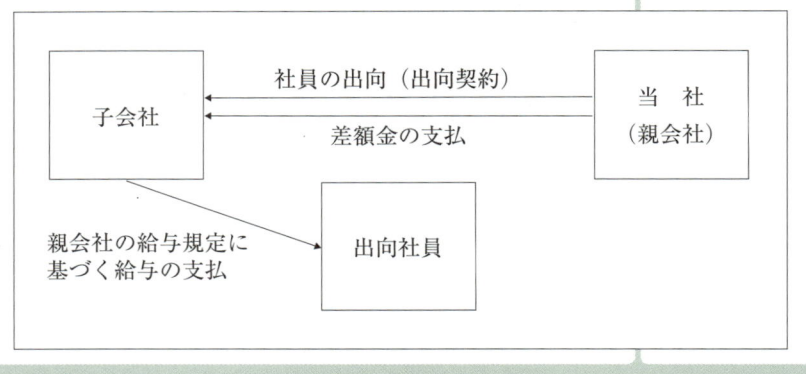

 補足説明 　負担金は、親会社との雇用関係に基づく給与の較差補塡であることから、資産の譲渡等の対価には該当せず、課税の対象とはなりません。

参考：基通5－5－10

Q-83　従業員を派遣して対価を得る場合

判 定 事 例	判 定
他の会社の食堂に従業員を派遣している場合の収入（人件費、管理費）は、課税の対象になりますか？	**○** **なります**

 **補足説明**　人材を派遣して派遣先の事業者の指示に従い派遣先の事業者のために事業として役務の提供を行い、対価を得ているものですから課税の対象となります。

参考：法2①八、4①、基通5－5－11

Q-84　船員融通に対する取扱い

判 定 事 例	判 定
船舶運行事業者間においては、乗船船員に不足が生じた場合又は乗船船員が病気若しくは休暇等により下船した場合に、他の船舶運航事業者から雇用している船員について一定期間融通を受け、給与相当額の金銭として授受している「船員融通費」等は、課税の対象になりますか？ なお、「船員融通費」等の請求内容は、①融通元の実際給与支給金額（本給その他）を単純に日割計算する場合、②融通元の実際給与支給金額（本給その他）にそれぞれ10%程上乗せして日割計算する場合等となっています。	**×** **なりません**

 **補足説明**　船員融通費等はいわゆる給与負担金として資産の譲渡等の対価の額に該当せず、課税の対象とはなりません。

参考：基通5－5－10、5－5－11

Q−85 分割に伴って行われる資産の移転

判 定 事 例	判 定

製造部門を分割し、分割承継法人から株式の割当てを受けました。

① 分割に伴って行われる資産の移転は、資産の譲渡等に該当しますか？

該当しません

② 分割が法人税法上の適格分割に該当するか否かにより、取扱いが変わることはありますか？

ありません

 補足説明
会社分割の際の分割法人に対する分割承継法人の発行する株式の割当ては、承継した営業に対して明確な対価性を有しているとは認められないため、分割に伴って行われる資産の移転は、その分割が、法人税法上の適格分割に該当するか否かを問わず、資産の譲渡等には該当せず、課税の対象とはなりません。

参考：法2①八、令2①二

Q−86 担保物件に対し担保権が行使された場合の取扱い

判 定 事 例	判 定

提供していた担保の提供物について担保権が実行された場合、課税の対象になりますか？

① 債権者に対する弁済として債務者から債権者に対して行われた担保の目的物の譲渡

なります

 補足説明
代物弁済による資産の譲渡等に該当し、担保の目的物が課税資産であれば、課税の対象となります。

② 担保権の実行として換価が行われた場合

なります

補足説明

債務者からその換価により担保の目的物を取得した者に対する資産の譲渡等が行われたこととなり、担保の目的物が課税資産であれば、課税の対象となります。

参考：法2①、4①、令45②一、基通5−1−4、5−2−2

Q−87 自己株式の取扱い

判 定 事 例	判 定
法人が株主に金銭を交付して自己株式を取得する場合に、当該株主から当該法人への株式の引渡しは、資産（有価証券）の譲渡等に該当しますか？	 **該当しません**

補足説明

自己株式の取得は資本等取引に該当し、法人が自己株式を有償で取得した場合には、資本（出資）の払戻しであり、資産の譲渡等に該当しません。

ただし、法人が自己株式を取得する場合であっても、証券市場を通じて取得したものについては、非課税とされる有価証券の譲渡等に該当することとなります。

なお、法人が自己株式を譲渡する場合も資本等取引に該当し、資産の譲渡等には該当しません。

(注) 所得税においては、法人の自己株式の取得により交付を受ける金銭及び金銭以外の資産の合計額については、配当及び譲渡所得等の収入金額とみなすこととされています（所法25①、措法37の10等）。

参考：法2①八、基通5−2−1、5−2−9

第3章　内外判定

Q-1 ● 国外に所在する資産の譲渡

判　定　事　例	判　定
内国法人の外国の支店間において、外国の支店に保管している商品を同国の支店に売り渡す契約を国内で行った場合、課税の対象になりますか？	 **×** **なりません**

 補足説明　事業者が行う資産の譲渡等が国内において行われたかどうかの判定は、①資産の譲渡又は貸付けについては、譲渡又は貸付けが行われるときにその資産が所在していた場所、②役務の提供については、役務の提供が行われた場所で行うのを原則とし、契約当事者が居住者であるかどうか、又は契約締結場所が国内かどうかによって左右されるものではありません。

参考：法4①②③、5、基通5-7-10

Q-2 ● 三国間貿易に係る船荷証券の譲渡

判　定　事　例	判　定
海外（B国）にある日本のメーカーの現地工場から商品を購入し、これを第三国（A国）の発注者に直接納入する売買で、国内において、託送中の商品に係る船荷証券の譲渡を受け、これに対して商品代金を支払う方法で行うように、船荷証券の譲渡が行われる場合、国内における資産の譲渡等として課税されますか？ 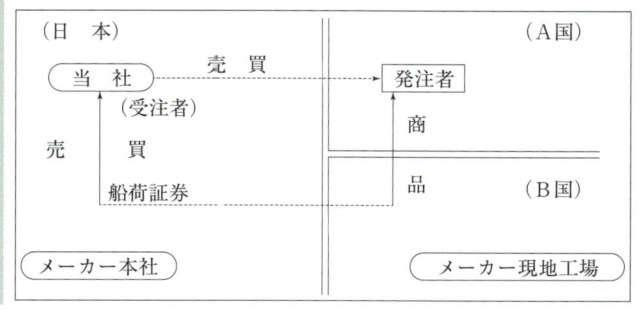	 **×** **されません**

 **補足説明**　資産の譲渡等が国内で行われるかの判定は、その資産を譲渡した時に所在していた場所により判定するので、国外取引となり、課税の対象とはなりません。
参考：法4③、基通5－7－11、9－1－4

Q－3 ● 輸入貨物に係る船荷証券の譲渡

判　定　事　例	判　定

外国から輸入する家具を表彰する船荷証券を関係会社に売却し、保税地域からの引取りもその関係会社が行う場合、この船荷証券の譲渡は、輸出免税規定を適用しても差し支えありませんか？

ありません

 **補足説明**　船荷証券の譲渡は、その証券に表彰されている資産を譲渡したものとして取り扱うことになります。

次に、資産の譲渡等が国内において行われるかの判定は、その資産の譲渡した時に所在していた場所により判定しますので、譲渡時に国外に所在していれば、その譲渡はいわゆる国外取引として消費税の課税の対象とならず、国内に所在しており輸入許可前のものであれば、国内における外国貨物の譲渡として輸出免税等の対象となります。

ただし、輸入貨物に係る船荷証券の譲渡時にその輸入貨物が保税地域に所在するのか、船上にあるのかを確認することが困難なときは、船荷証券の写し等を保管することを条件に、その船荷証券の「荷揚地」（PORT OF DISCHARGE）が日本国内であれば、いずれは、日本国内に荷揚げされるものですから、国内における外国貨物の譲渡として輸出免税規定を適用しても差し支えありません。　参考：法4③、7①二、基通5－7－11、9－1－4

Q－4 ● 株券の発行がない株式の譲渡に係る内外判定

判　定　事　例	判　定

株券を発行していない外国法人に出資していますが、持分が明らかにされている次の場合、株式の持分を他の法人に譲渡するその取引は、国内における株券の譲渡としてその譲渡対価を課税売上割合の計算上分母の金額に含める必要がありますか？

① 株式の譲渡に係る事務所等の所在地が国外の場合

ありません

 株式の発行がない株式は、譲渡時に有価証券としての所在場所がないため、その譲渡又は貸付けに係る事業所等の所在地が国内にあるかどうかにより、国内において行われたものかどうかの判定を行います。

② 株式の譲渡に係る事務所等の所在地が国内の場合

あります

 株式の譲渡に係る事務所等の所在地が国内であれば国内における非課税資産の譲渡等に該当し、その譲渡対価の5％を課税売上割合の計算上分母の金額に含める必要があることとなります。

参考：令6①九イ、十、9①一、48⑤

Q−5 外国から資産を賃借する場合の内外判定

判 定 事 例	判 定

国内の美術館で所有している美術品の常設展示のほかに、外国の美術館から絵画等を賃借（外国の美術館がその美術品の輸送を行い、輸入の許可を受けた後、国内において引渡しを受けることとなっています。）して、国内で特別企画展を開催する場合、絵画等の借受けは国内取引に該当しますか？

該当します

 外国の資産の借受けであっても、その貸付けを行う者がその資産の輸送を行い、輸入の許可を受けた後、国内において引き渡すこととなっている場合には、国内における資産の貸付けに該当しますので、課税の対象となり、これを借り受ける事業者においては、国内における課税仕入れとなります。

参考：法4③一、基通5−7−10、5−7−12

Q-6 ●所有権移転外ファイナンス・リース取引の内外判定

判 定 事 例	判 定

コンピュータの所有権移転外ファイナンス・リース取引について、次のような場合は、国内取引として課税の対象になりますか？

① 外国の法人（貸主）と所有権移転外ファイナンス・リース契約を結んだ国内の事業者（借主）が、保税地域内において、そのリース資産を外国貨物のまま引渡しを受けて通関した場合

なります
（免税取引）

補足説明

　国内における資産の貸付けに該当し、課税の対象になりますが、外国貨物の譲渡として輸出免税の対象となり、消費税は免税されます。
　なお、外国貨物を通関することとなりますから、保税地域から引き取る課税貨物として、借主が引き取った時において消費税が課され、その引き取りに係る消費税については、借主において仕入税額控除の対象となります。

② 国内の事業者（貸主）と所有権移転外ファイナンス・リース契約を結んだ外国の法人（借主）が、リース資産の引渡しを外国の本社で受けた後、国内の支社で使用することとした場合

なりません

補足説明

　国外取引として消費税の課税対象とはならず、その後の使用場所の変更は、当初の課税関係に影響ありません。
　なお、リース物件の使用場所が、リース契約において特定されている場合で、当事者間の合意に基づき、その使用場所を変更したときは、変更後の使用場所で改めて国内取引に該当するか否かを判定することになります。

参考：法4③一、7①二、基通5－7－10、5－7－12、7－2－1

Q-7 ● 海外からのソフトウェアの借入れ

判 定 事 例	判 定

日本に支店を有し、営業活動を行っている米国の会社からコンピュータのソフトウェア（システム書）を借り入れることとし、契約に際しては、その支店と交渉し、その会社の本社と直接賃貸借契約を結び、ソフトウェアは直接本社から郵送され、代金も直接本社に送金する場合の賃借料は、国内における資産の貸付けとして課税の対象になりますか？

また、ソフトウェアは、輸入貨物として引取りの際に、課税の対象になりますか？

① 賃借料

なりません

補足説明

本社が米国である場合は、国外取引となります。

コンピュータのソフトウェア等は、消費税法施行令第6条第1項第7号に規定する「著作権等」に該当するため、貸付けを行う者の住所地により、資産の譲渡等が国内で行われたかどうかを判定することとなります。

② ソフトウェア

なります

補足説明

ソフトウェアが書類又は磁気テープ等として郵便により輸入される場合には、当該郵便物は課税貨物に該当することとなり、原則として消費税の課税の対象となります。

ただし、当該郵便物の関税の課税価格の合計額が1万円以下である場合には、関税定率法第14条第18号《無条件免税》に該当し、輸入品に対する内国消費税の徴収等に関する法律第13条第1項第1号《免税等》により、その引取りに係る消費税は免除されます。

㊟ ソフトウェアを記録している輸入媒体（キャリアメディア）の価格とソフトウェアの価格とが区別されている場合には、輸入媒体の価格が関税の課税価格となります。

参考：令6①七

Q-8 特許権の使用許諾に係る課税関係

判 定 事 例	判 定

国内の機械のメーカーが、特殊な機械を製造することになり外国法人が所有している特許権（国外と国内で登録）を一定期間使用するため、専用実施権を設定し、国内において登録したが、その機械メーカーの子会社が同様の機械を製作することになったため、外国法人の許諾を得て子会社に対して通常実施権を設定した場合、子会社から機械メーカー、機械メーカーから外国法人と支払われる特許権の使用料等は、課税の対象になりますか？

① 機械メーカーが外国法人に対して支払う使用料等

なりません

外国法人の機械メーカーに対する特許権の貸付けの対価になりますが、その特許権が国内と国外の２か国で登録されていますから、当該貸付けは外国法人の住所地で判定し、国内において行われたもの以外のものとなり、機械メーカーにおいては、国内における課税仕入れに該当せず、仕入税額控除の対象にはなりません。

② 子会社から機械メーカーが受け取る使用料等

なります

機械メーカーの専用実施権（特許権を利用する権利）の貸付けの対価であり、その登録地が国内ですから、国内における課税資産の譲渡等の対価として課税の対象になります。

参考：法2①十二、4③一、令6①五

Q−9 ● 国外に支払う技術使用料、技術指導料

判 定 事 例	判 定
国外からの技術導入に伴い支払う次の技術使用料、技術指導料は、課税の対象になりますか？	
①　単なる技術導入等、関税法上の輸入に該当しない取引に伴って支払われる使用料等	 なりません
②　技術使用料が権利の貸付けの対価として支払われる場合で、使用する権利が特許権等の登録を要する権利であり、その権利を登録した機関の所在地が国外のとき	 なりません
③　技術使用料が権利の貸付けの対価として支払われる場合で、使用する権利が特許権等の登録を要する権利であり、その権利を登録した機関の所在地が国内のとき	 なります
④　技術指導料	○ なります

 補足説明　国内において行われる技術指導の対価として支払われるものは課税の対象となります。

参考：法4①②、③二、令6①五、七、②

58

Q-10 海外で制作したCMフィルムの制作料

判 定 事 例	判 定
国内の顧客からの依頼でCMフィルムを海外で制作した場合、制作した事業者のその制作に係る事務所等の所在地が国内であるときは、その制作料は、課税の対象になりますか？	◯ **なります**

補足説明

　ＣＭフィルムを制作した事業者のその制作に係る事務所等の所在地が国内にあれば、海外で制作した場合についても、国内において行った役務の提供に該当し、課税の対象となります。

参考：法4③二、令6②六、基通5-7-15

Q-11 派遣員の海外出張旅費等

判 定 事 例	判 定
通訳派遣を行っている場合において、派遣員が海外出張にも同行することがあり、その際の派遣員の旅費、日当については派遣先に請求することとなりますが、通訳派遣を行っている事務所の所在地が国内にある場合、派遣先へ請求する次の費用は、課税の対象となりますか？ ①　運賃（日本⇔外国） ②　運賃（外国⇔外国） ③　宿泊代（外国） ④　日当（外国滞在日数）	◯ **なります**

補足説明

　旅費や日当も通訳という役務の提供の対価を構成するものですが、その役務の提供が国内及び国内以外の地域にわたって行われる場合、その役務の提供を行う事業者の役務の提供に係る事務所等の所在地が国内にあるかどうかにより、その取引が国内取引に該当するか否かを判定します。

参考：令6②六

Q−12 広告請負に係る内外判定

広告会社が広告主から商品の広告について、広告の企画、立案、広告媒体との交渉、調整、管理等を請け負うとともに、国外の広告媒体に広告を掲載することを請け負う場合、広告会社の役務の提供を行う事務所等の所在地が国内にあるときは、国内取引に該当するものとして課税の対象になりますか？

判 定

なります

 補足説明

国内での広告の製作（企画、立案等）と国外での広告媒体への広告の掲載を請け負っていると認められることから、国内及び国内以外の地域にわたって行われる役務の提供として、広告会社の役務の提供を行う事務所等の所在地により国内における役務の提供に該当するかどうかの判定を行うこととなります。

なお、契約の内容が単に国外の広告媒体に広告を掲載することとなっている場合には、役務の提供場所が国外であることから、国外取引となって消費税の課税の対象とはなりません。

参考：法4③二、令6②六、基通5−7−15

Q−13 国外で引渡しを行う機械設備の製作請負

判 定 事 例

国外で据付工事まで行う機械設備の製作を請け負いましたが、当該機械設備の本体部分を国内でほぼ完成させた上で国外に搬出し、国外の据付指定場所で据付工事を行い、検収を受けた後引き渡すこととなっている場合、機械設備の譲渡は、国内におけるものとして課税の対象になりますか？

判 定

なりません

 補足説明

国内で本体を完成させても、そのこと自体が国内取引かどうかの判定に影響を与えるものではなく、据付け、引渡しの場所が国外であることから、国外における資産の譲渡として、課税の対象とはなりません。

参考：法4③一

Q−14　外国法人に対する技術指導契約

判　定　事　例	判　定

　ゼネコンが、建設コンサルティング業務の一環として、外国法人との間で技術指導等の役務提供契約を締結しているが、国内作業についての技術指導の対価と海外作業についての技術指導の対価との区分が明確ではない場合、課税の対象になりますか？

①　資材の大部分を国内で調達する場合

なります

補足説明　　非居住者（外国法人の本店及び国外支店等も含まれます。）に対する役務の提供であれば、輸出免税の適用があります。

②　資材の大部分を国外で調達する場合

なりません

参考：令6②五、17②七

Q−15　海外工事に対する人材派遣

判　定　事　例	判　定

　ボーリング機械の製造とボーリング工事を行っている会社が、海外工事を施工する国内の建設会社とその海外工事に関して人材派遣契約を結び、自社の従業員が海外へ赴き、ボーリング工事に携わる現地作業員の指導に当たる場合、現地作業員の指導業務は国外取引として、その派遣料は課税の対象となりますか？

①　必要資材の大部分の調達場所が国内である場合

なります

| ② 必要資材の大部分の調達場所が国外である場合 | なりません |

参考：令6②五、法4③二

Q−16 海外旅行の添乗員の派遣に係る内外判定

判 定 事 例	判 定

旅行業者が人材派遣会社から海外旅行の添乗員やツアーコンダクターの派遣を受けた場合、当該人材派遣会社から受ける人材派遣に係る次の役務の提供は国内取引に該当し、課税仕入れに係る消費税額の控除の対象になりますか？

① 海外現地のみで行われる添乗サービス等である場合

なりません

 補足説明　添乗サービス等は、国外において行われる役務の提供であり、国外取引に該当し、旅行業者において課税仕入れに係る消費税額の控除の対象となりません。

② 出国から帰国まで一貫して行われる添乗サービス等である場合

　(イ) 人材派遣会社の当該人材派遣に係る事務所等の所在地が国内にある場合

なります

　(ロ) 当該事務所等の所在地が国外の場合

なりません

参考：法2①十二、4③二、令6②六

第4章 非課税取引

Q-1 庭石等と宅地の一括譲渡

判 定 事 例	判 定
土地の譲渡は消費税が非課税ですが、不動産売買業を営む者が、庭石や庭木付きの宅地を売却することになった場合、庭木や庭石の部分を含めて非課税になりますか？	○ なります

 補足説明 　消費税が非課税となる「土地」には、立木その他独立して取引の対象となる土地の定着物は含まれませんが、その土地が宅地である場合には、庭木、石垣、庭園その他これらに類するもののうち宅地と一体として譲渡するものは含まれることとされています。

参考：法6①、法別表第二第1号、基通6－1－1

Q-2 土地に設定された抵当権の譲渡

判 定 事 例	判 定
融資先A社の土地の抵当権を、同じくA社に対して金銭債権を有するB社に譲渡することにした場合、B社から受ける抵当権の譲渡代金に対する消費税は、土地の上に存する権利の譲渡として非課税になりますか？	× なりません

 補足説明 　土地の上に存する抵当権は、土地の使用収益に関する権利ではないこととなりますので、その譲渡は課税の対象になります。

	判 定
また、第1順位の抵当権を有する場合に、後順位の抵当権者にその順位の譲渡を行った場合の譲渡代金は、非課税になりますか？	× なりません

 補足説明 　抵当権の順位の譲渡は、土地の使用収益に関する権利の譲渡ではありませんので、課税の対象になります。

参考：法6①、法別表第二第1号、基通6－1－2

Q-3 耕作権の譲渡

判 定 事 例	判 定
他人の土地に農作物を作ることができる耕作権を譲渡する場合、鉱業権や採石権の譲渡等と同様に課税になりますか？	 なりません

参考：法6①、法別表第二第1号、基通6－1－2

Q-4 借地権の設定の対価

判 定 事 例	判 定
借地権を設定する場合に収受する権利金は課税になりますか？	✕ なりません
借地権に係る更新料（更改料）は課税になりますか？	✕ なりません

参考：法6①、法別表第二第1号、基通6－1－3

Q-5 借地権の譲渡又は転貸に際して地主が受け取る名義書換料、承諾料

判 定 事 例	判 定
不動産賃貸業の会社が、賃貸している土地の上に建物を所有している会社から、第三者に借地権付きでその建物を譲渡する旨の申し出があり、その対価として受領した「名義書換料」は課税になりますか？	 なりません

 補足説明　　土地の貸付けの対価として、非課税となります。

家屋の賃借人が、その家屋を第三者に転貸しようとする際に、その家屋の所有者が賃借人から受け取る「承諾料」は課税になりますか？

なります

 補足説明

建物を他の者に利用させる対価として課税されることになります。ただし、住宅の貸付けに係るものは非課税となります。

参考：法6①、法別表第二第1号、第13号、基通6－1－3

Q－6 日曜日のみに土地を貸し付ける契約

判 定 事 例	判 定

日曜日（1年間52日）のみ会社の土地（普段は、会社の駐車場として利用していますが、更地のままで特に駐車場その他の施設としての整備はなされていません。）を貸し付ける契約をした場合、一の契約に係る貸付日数が30日を超えますので、この賃貸料について非課税になりますか？

なりません

 補足説明

土地の譲渡及び貸付けについては、消費税は非課税とされていますが、土地の貸付けに係る期間が1か月に満たない場合及び駐車場その他の施設の利用に伴って土地が使用される場合には、課税になります。

上記、判定事例のような貸付けの契約は、実質的には週1回日曜日のみの貸付契約の集合体と考えられますから、その貸付期間が1か月に満たない場合に該当し、その賃貸料は消費税の課税の対象となります。

参考：法6①、法別表第二第1号、令8、基通6－1－4

Q－7 駐車場の貸付け

判 定 事 例	判 定

会社の敷地内にある従業員用駐車場には、十数台駐車できるスペースがあるため、付近の会社に賃貸しており、地面を舗装し、白線で区画した上、借主の名札を掲げていますが、車両の管理はしていない場合、このような駐車場の貸付けは、土地の貸付けとして非課税になりますか？

なりません

 補足説明

車両の管理はしていないものの、地面の整備、区画等を行っていますので、施設の貸付けに該当することになり、非課税となる土地の貸付けには該当しません。

参考：法6①、法別表第二第1号、令8、基通6－1－5（注）1

Q-8 ● 建物部分と敷地部分を区分記載した賃貸契約

判 定 事 例	判 定

オフィスビルを賃貸するに際し、地価が高いため、敷地部分の賃貸料と建物部分の賃貸料を区分して記載する契約書を作成した場合、その敷地部分の賃貸料は、非課税になりますか？

なりません

 補足説明　敷地部分の賃貸料と建物部分の賃貸料とを区分して記載している場合であっても、その賃貸料の全体が建物の賃貸料に該当するものとして、その総額が課税の対象になります。

参考：法6①、法別表第二第1号、令8、基通6-1-5（注）2

Q-9 ● 貸し付けた更地を賃借人が駐車場として使用した場合

判 定 事 例	判 定

自ら所有する土地を更地のままスーパーマーケットを経営する会社に貸し付け、賃借人である会社が、賃借した土地を整地舗装し、お客様用駐車場として使用している場合の土地の貸付けは、非課税になりますか？

なります

 補足説明　あくまで、更地として貸し付けたものですから、土地の貸付けとして消費税は非課税となります。

参考：法6①、法別表第二第1号、令8、基通6-1-5

Q-10 ● 掘込みガレージ付土地の譲渡

判 定 事 例	判 定

建売住宅用に区画割りされた土地を購入し、その土地の上に住宅を建てて販売したとき、その土地や住宅は課税になりますか？

① 土地の販売業者が土地を掘削してコンクリートの壁・床・天井を設置し、シャッターを取り付けて住宅の地下ガレージ（掘込みガレージ、登記簿上は建物）としたものを建売住宅用の土地として購入した場合の土地

なりません

 補足説明　土地、建物と一括して庭木、ブロックの土止め、青空駐車スペース等を譲渡した場合には、これらは土地と一体として譲渡されたものと認められますので、土地の譲渡に該当し、消費税は非課税となります。

②　①の場合の掘込みガレージ部分

なります

 補足説明
　掘込みガレージは、登記簿上、土地と別個の不動産（建物）として取り扱われており、また、社会通念上、その構造、設置の状況等からみても建物に該当するものと認められます。
　掘込みガレージ付土地の購入は非課税となる土地と課税となる建物の一括購入といえるため、その掘込みガレージ部分の購入は、課税仕入れに該当することとなります。

③　①の土地に住宅を建てて販売した場合の住宅と掘込みガレージに係る部分

なります

 補足説明
　建築して販売する住宅（建物部分として合理的に区分された住宅部分）と掘込みガレージ部分は、課税の対象になります。
　　　　　参考：法6①、法別表第二第1号、基通6−1−1

Q−11　土地の賃貸借形式による採石等

判　定　事　例	判　定
採石地を所有し、採石業者に対しては採石法による採石権を設定せず、土地の賃貸借の形態により採石させている場合、非課税になりますか？	
①　採石業者から収受する土地の賃貸料	 なりません

 補足説明
　賃貸料・採石料は、物権である採石権を設定して採石する場合の採石料と同様に採石の対価に該当することとなり、土地の貸付けの対価ではないため課税されることとなります。

②　土地の賃貸借により砂利を採取する場合の賃貸料及び採取料

なりません

砂利の採取の対価として課税の対象となります。

参考：法6①、法別表第二第1号、基通6－1－2

Q－12 土地取引に係る仲介手数料

判 定 事 例	判 定
土地の譲渡及び貸付けは、非課税ですが、この「仲介手数料」は非課税になりますか？	 なりません

売買等のあっせんという役務の提供の対価となりますので、課税の対象となります。

参考：法6①、法別表第二第1号、基通6－1－6

Q－13 電柱使用料と電柱の使用料

判 定 事 例	判 定
道路又は土地の使用許可に基づく電柱使用料は、土地の貸付けに該当するため、消費税は非課税になりますが、電柱に広告物を取り付ける場合に収受する電柱の使用料も非課税になりますか？	なりません

「電柱の使用料」は、電柱の一部の貸付けの対価であり、土地の貸付けには該当しませんから、課税の対象になります。

参考：法6①、法別表第二第1号、基通6－1－7

Q－14 匿名組合の出資者の持分の譲渡

判 定 事 例	判 定
匿名組合の組合員が行う持分の譲渡は、協同組合の組合員の持分の譲渡と同様に非課税になりますか？	なります

有価証券に類するものの譲渡として非課税となります。

参考：法6①、法別表第二第2号、令9①二、基通6－2－1 (2) ロ

Q−15 リース契約書において利息相当額を区分して表示した場合の取扱い

判 定 事 例	判 定

リース契約書において、リース資産取得価額相当額と利息相当額を区分して表示した場合、利息相当額部分を対価とする役務の提供は、非課税になりますか？

なります

 補足説明

　賃貸人は、リース契約書において利息相当額を明示したリース取引について、リース取引のリース料総額又はリース料の額から利息相当額を控除した金額を課税売上げとして消費税額を計算し、利息相当額は貸付金の利子として期間の経過に応じて非課税売上げとなります。

　なお、賃借人においても契約において明示されている利息相当額は、課税仕入れの対象になりません。

参考：法6①、法別表第二第3号、令10③十五、基通6−3−1（17）

Q−16 参考資料として交付を受けるリース料に係る「計算書」の取扱い

判 定 事 例	判 定

リース契約書において、利息相当額を明示した場合、その利息相当額部分を対価とする役務の提供は非課税とされていますが、リース取引（所有権移転外ファイナンス・リース取引）に係るリース契約締結後に、賃借人の会計処理のための参考資料として、「計算書」の交付を受けた場合、契約において利息相当額を明示したものとして利息相当額部分は非課税になりますか？

なりません

 補足説明

　賃貸人が、リース契約締結後に、リース契約書等とは別に、リース料のうち利息相当額を区分して記載した計算書を賃借人に交付した場合、その計算書は賃借人において会計処理上必要な情報を提供するためのものであり、当事者間において利息相当額を対価とする役務の提供を行うことについて合意するために作成したものではありません。

　したがって、契約において利息相当額を明示したことにはならず、リース料総額に対して消費税が課税されることになります。

　なお、所有権移転外ファイナンス・リース取引に係る契約を締結する際に、リース料のうち利子相当額を明示した計算書を交付することにより、契約において利子相当額が明示されている部分を対価とする役務の提供を行っていると認められる場合には、リース料総額のうち利子相当額を対価とする役務の提供は、消費税法上、非課税となります。

参考：法6①、法別表第二第3号、令10③十五、基通6−3−1（17）

Q−17 支払手段の意義

判 定 事 例	判 定
次のものは、消費税が非課税とされる支払手段となりますか？	
① 日本及び外国において通用する銀行券、政府紙幣、硬貨及び小切手（旅行小切手を含みます。）	なります
② 為替手形及び約束手形	○ なります
③ 郵便為替、信用状等	○ なります
④ 上記のうち収集品及び販売用のもの	✕ なりません

 補足説明

収集品及び販売用のものとは、次のようなものです。
①掲示ケースに収納されているもの
②ペンダント等の身辺用細貨類に加工されているもの
③記念硬貨等プレミアムが付いて額面額を超える価額で取引されるもの
④その他、取引形態、性状これらに類するもの

参考：法6①、法別表第二第2号、令9③、基通6−2−3

Q−18 変動金利によるリスクヘッジのために支払う手数料

判 定 事 例	判 定
変動金利によるローン契約をA金融機関との間で締結し、金利の変動によるリスクを回避するため、その金利が一定の上限を超えた部分の利子を代わって負担してもらう契約をB金融機関との間で締結している場合、B金融機関に対して支払う手数料は、非課税になりますか？	なります

補足説明

この手数料は、将来の金利の上昇によって生じる借主の損失について、その損失の補填を受けるために支払うものであり、消費税法施行令第10条第3項第13号《保険料に類する共済掛金その他の保険料に類するものを対価とする役務の提供》に規定する保険料に類する対価に該当しますので、消費税は非課税となります。

なお、B金融機関が一定の限度額を超える利子の部分をA金融機関に支払った場合には、その金額は保険金に相当するものですが、貸主であるA金融機関にとっては、借主との間のローン契約に基づく利子をB金融機関から受け取ったに過ぎませんので、A金融機関の受け取る金銭は利子として消費税が非課税になります。　　　　参考：法6①、法別表第二第3号、令10③十三

Q－19 前渡金等の利子

判 定 事 例	判 定
取引先に前渡金として資金を融通し、これに対して利子を受け取ることとしている場合における前渡金は、法人税法においては貸付金に準ずるものとされていますが、この場合の前渡金の利子は、消費税法上、貸付金に対する利子と同様に非課税になりますか？	**なります**

補足説明

名目上は前渡金であっても、経済的実質において貸付金に準ずるものについては、その前渡金を交付したことによって受け取る金銭は受取利息として取り扱うこととなります。

したがって、貸付金に対する利子と同様に、消費税は非課税となります。

参考：法6①、法別表第二第3号、基通6－3－5

Q－20 カードキャッシング手数料

判 定 事 例	判 定
カードキャッシング取引において、融資を受けた利用者からカード会社に支払われる融資手数料は、金利とも考えられますが、消費税法上、非課税になりますか？	○**なります**

補足説明

融資手数料は、クレジットカードの取引の締切日の翌日から決済日（返済日）までのキャッシングサービスの利用期間について、あらかじめ定められた金利に該当しますので、非課税になります。

参考：法6①、法別表第二第3号、令10①

Q−21 クレジットカードの年会費

判 定 事 例	判 定
クレジットカードの年会費は、課税になりますか？	**なります**
クレジットカード契約により紛失・盗難については、保険を掛けることを明記し、顧客からこの保険料相当額を預り金として処理し、保険会社に支払った場合、この「保険料」は、非課税になりますか？	 **なりません**

 補足説明 年会費の中に保険料相当額が含まれているとしても、当該紛失・盗難保険の契約者はクレジット会社であり、保険会社とカード会員との直接の保険契約ではありませんので、仮に預り金として処理していたとしても全体が年会費として課税の対象になります。

参考：法2①八

Q−22 クレジットローン紹介手数料

判 定 事 例	判 定
自動車販売業者が、販売契約が成立し、代金の支払方法として「自動車ローン」を選択した顧客に、提携している信販会社の金利、賦払回数等を説明し、申込書を提出させた場合、信販会社から受け取った一定の手数料は、割賦販売手数料として非課税になりますか？	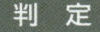 **なりません**

 補足説明 お尋ねの手数料は、信販会社が支払う紹介手数料となるため、役務の提供の対価として、課税の対象になります。

参考：法6①、法別表第二第3号、令10③九、基通6−3−1

Q−23 学校債

判 定 事 例	判 定
学校が生徒の父母から募集する運営資金確保のための学校債に係る利子は、非課税になりますか？	**なります**

補足説明　学校債は、学校が生徒の父母から金銭の貸付けを受けた証拠書類として交付するものですから、この場合の金銭の授受は資産の貸付けに該当します。
　一般的には、その対価としての利子は学校の運営資金に充てられ、生徒の父母には支払われないこととなっていますが、支払われた場合でも貸付金の利子に該当し、非課税となります。　　　　　　参考：法6①、法別表第二第3号

Q−24　輸入取引に係るユーザンス金利

判　定　事　例	判　定
商社を通じて原料を輸入し、商社からの請求書にユーザンス金利の項目が含まれている場合、利息として非課税になりますか？	なります

補足説明　ユーザンス金利が譲渡対価と明確に区分されており、かつ、それが適正金利である場合には、利息として取り扱われますから、非課税となります。

通関された原料について、その売買代金を期日前に決済した場合に受ける一定の率による割引額は、代金の一部として課税になりますか？	なりません

補足説明　ユーザンス金利について期日前決済により割引を受けた場合には、支払利息の修正として取り扱われることになります。
参考：法6①、法別表第二第3号

Q−25　金銭消費貸借契約の締結の際に受領する手数料

判　定　事　例	判　定
金融業者が、資金を貸し付け、利息の他に手数料を顧客から徴収している場合、この手数料は、利息制限法により利息とみなされますが、非課税になりますか？	 なりません

補足説明　利息制限法上は、利息とみなされても、役務の提供の対価として徴収される手数料であれば、課税となります。
参考：法2①八、九

Q-26 債権の買取り等に対する課税

判 定 事 例	判 定

金融業者が行う、売掛金、貸付金等の金銭債権に関する次のような取引は、非課税になりますか？

① ある者から譲り受けた金銭債権について、債務者から回収できなかった場合、その者から譲受対価の返還を求めることとしているときに徴収する割引料又は手数料と称する金銭

なります

 補足説明
　譲り受けた金銭債権について債務者から回収できなかったときには、金銭債権を譲り受けた者は、債権者から譲受対価の返還を求めることとされています。この場合に債権者から徴収する割引料又は手数料は金銭債権の取立てという役務の提供の対価という側面も有しますが、契約上金銭債権の譲受けであれば金銭債権の譲受けの対価として、非課税となります。

② ある者から譲り受けた金銭債権について、債務者から回収できるかどうかにかかわらず、金銭債権額から控除する形で受け取る割引料、保証料又は手数料

なります

 補足説明
　金銭債権の譲受けの際に、債権者から徴収する割引料、保証料又は手数料は、金銭債権の譲受けの対価として、非課税となります。

参考：法2①八、4①、6①、法別表第二第3号、令10③八

Q-27 信用保証の保証料

判 定 事 例	判 定

組合が、組合員の事業資金の借入れについて信用保証を行う場合に、組合員からその保証期間の日数に応じて徴収することとしている保証料は、課税になりますか？
　なお、保証の形式は、金融機関から貸付けを受けようとする者の依頼によって行い、保証限度額、契約保証期間等の保証条件を定めた根保証によるものです。

なりません

補足説明　信用の保証による役務の提供の対価については、非課税とされています。
保証料は、債務の保証の対価であり、その行為は、信用の保証としての役務の提供に該当しますので、その対価は、非課税となります。

参考：法6①、法別表第二第3号、基通6-3-1 (2)

Q-28 法人の借入れについて役員が担保提供した場合

判 定 事 例	判 定

銀行から融資を受けるため、代表者個人の土地建物を担保に抵当権を設定し、会社は抵当権の設定額の何パーセントを代表者に支払う支払金額は、消費税の取扱いはどうなりますか？

① 代表者個人の資産に対する抵当権の設定に伴って代表者に支払う金銭は、非課税となる資産の譲渡等の対価になりますか？

なります

補足説明　代表者が自己の不動産を法人の借入金の担保として提供する行為は、代表者が債権者に対して法人の信用保証を行うものと認められます。
こうした信用の保証としての役務の提供は、非課税となります。

② 支払った当社において、この金銭は課税仕入れに該当しますか？

**課税仕入れに
該当しません**

参考：法6①、法別表第二第3号

Q−29 公共工事に係る保証料

判 定 事 例	判 定
公共工事に係る前払保証事業に基づく保証料を対価とする役務の提供は、非課税になりますか？	◯ **なります**

 **補足説明**　公共工事の代金支払は、その引渡し時に一括して行われるのが原則ですが、建設業者が保証会社の保証を取り付けた場合は、月ごとの出来高に応じて発注先である国、地方公共団体等から中間金の支払が行われています。

　この場合において、保証会社が建設業者から受け取る保証料を対価として行う保証は、建設業者が請け負った公共工事の完成の保証ではなく建設業者が発注先である国、地方公共団体等から受領する中間金に係る保証と認められますから、信用の保証に該当し、非課税となります。

参考：法6①、法別表第二第3号、基通6−3−1（2）

Q−30 非課税とされる物品切手等の対象範囲

判 定 事 例	判 定
消費税が非課税となる物品切手等の譲渡の「物品切手等」は、証書等と引換えに一定の物品の給付若しくは貸付け又は特定の役務の提供を約するもので、給付等を受けようとする者がその証書等と引換えに給付等を受けたことによって、その対価の全部又は一部の支払債務を負担しない証書とされますが、次のものは「物品切手等」になりますか？ ① 商品券 ② ギフト券 ③ プリペイドカード	 ◯ **なります** ◯ **なります** ◯ **なります**

④　一般的にネットマネーといわれる「サーバー型前払式支払手段（資金決済に関する法律第3条第1項に規定する前払式支払手段）」に該当する番号、記号その他の符号（電子決済手段に該当するものを除く。）

なります

参考：法6①、法別表第二第4号ハ、令11、基通6－4－3、6－4－4

Q−31 郵便切手、テレホンカード、株主割引優待券の売却

判　定　事　例	判　定

購入していた次の郵便切手等を、いわゆるチケット業者に売却した場合、課税になりますか？

①　郵便切手、印紙

なります

補足説明　会社等が購入していた郵便切手等を、チケット業者に売却した場合は、課税になります。

②　テレホンカード、映画前売入場券

なりません

補足説明　役務の提供、いわゆるサービスとの引換え機能を持つプリペイドカード等の券類は、物品切手等に該当し、その譲渡は、非課税となります。
　　例えば、額面500円のテレホンカードを、1,000円で販売するように、物品切手又はこれに類するものが額面より高いプレミアム付の価額で販売される場合であっても、物品切手等の譲渡として非課税となります。

③　株主割引優待券

なります

補足説明　株主割引優待券（支払債務の一部を免除されるもの）は、それと引換えに一定の物品の給付若しくは貸付け又は特定の役務の提供を受けるものではないので物品切手等には該当しません。

参考：基通6－4－1、6－4－4

Q−32 委託による入場券の販売の課税関係

判 定 事 例	判 定

コンサート、映画、演劇等の興行主催者からの委託を受けて、これらのチケットの販売を行い、興行主催者からは販売手数料を受け取って、経理上は、チケット売上げの全額を売上勘定で処理し、販売手数料を差し引いた興行主催者に支払う金額を仕入れ勘定で処理している場合、その興行主催者から収受する販売手数料相当額は、課税になりますか？

なります

 補足説明

興行主催者から収受する販売手数料相当額が、役務の提供の対価として、課税になります。

参考：法6①、法別表第二第4号ハ、令11、基通6−4−5、6−4−6

Q−33 印刷業者が行う郵便はがきへの印刷

判 定 事 例	判 定

印刷業者が行う、郵便はがきの印刷に係る次の取引に、消費税上の取扱いはどうなりますか？

1　郵便局で購入した郵便はがきに、印刷業者で選定した文字、図柄を印刷し、これを5枚セットにして文房具店に販売する場合

①　印刷業者が文房具店等から収受する印刷後の郵便はがきに係る対価は、課税になりますか？

なります

 補足説明

文房具店等から収受する印刷後の郵便はがきに係る対価の全額が課税資産の譲渡に係る対価として、消費税の課税の対象となります。

②　印刷業者が郵便局において購入する郵便はがきの購入代金は仕入税額控除の対象になりますか？

なりません

補足説明 印刷業者が郵便局において購入する郵便はがきは非課税取引に係るものですから、その購入代金は仕入税額控除の対象となりません。

③ 印刷後の郵便はがきを仕入れる文房具店等においては、印刷業者に支払った対価の額は仕入税額控除の対象になりますか？

なります

2 郵便局で購入した郵便はがきに、企業や個人からの注文に応じて企業名等を印刷して、注文者である企業や個人に引き渡す場合、注文者から収受する対価は課税になりますか？

なります

補足説明 注文者から収受する対価の全額が課税になります。

このような取引の場合、注文者の便宜のために印刷業者が郵便局からの郵便はがきの購入を代行しているという面もあります。そこで、印刷業者において、郵便局から購入した郵便はがきについて仮払金として経理し、注文者への請求の際には郵便はがきの代金と印刷代金とを区分の上、郵便はがきの代金について立替金として請求している場合には、印刷代金のみを消費税の課税の対象として取り扱うこととされています。

この場合、注文者においては、印刷代金のみが課税仕入れの額となります。

3 注文者が持ち込んだ郵便はがきに注文者の指定する文字、図柄を印刷して引き渡す場合、注文者から収受する印刷代金は、役務の提供の対価として課税になりますか？

なります

参考：法6①、法別表第二第4号イ、基通6-4-1

Q-34 フリーデザインプリペイドカードの課税関係

判 定 事 例	判 定

フリーデザインプリペイドカードの次図の取引の場合、非課税となりますか？

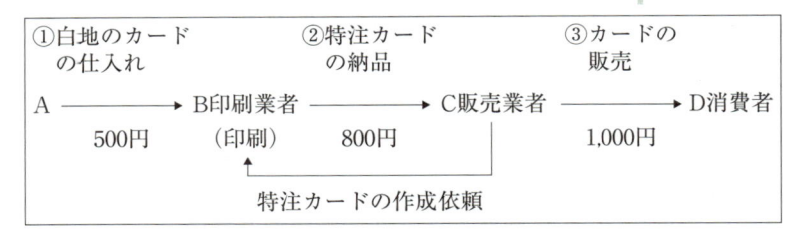

```
①白地のカード        ②特注カード        ③カードの
  の仕入れ            の納品              販売

A ───────→ B印刷業者 ───────→ C販売業者 ───────→ D消費者
  500円    （印刷）    800円              1,000円
              └──────────────────┘
                 特注カードの作成依頼
```

① 白地のカードの仕入れ

なります

 物品切手等の譲渡として非課税になります。

② 特注カードの納品

なります

 物品切手等の譲渡として非課税になります。
　ただし、例えば、プリペイドカードにデザインを施したB印刷業者については、プリペイドカード代500円及び印刷代300円と区分して請求しているときは、印刷代300円のみを課税売上げとして取り扱い、プリペイドカード代500円は非課税売上げとして取り扱って差し支えありません。

③ カードの販売

なります

 物品切手等の譲渡として非課税になります。

参考：法6①、法別表第二第4号ハ、令11、基通6-4-4

Q−35　自動車保管場所証明書の交付手数料

判　定　事　例	判　定

① 自動車の保管場所の確保等に関する法律第4条《保管場所の確保を証する書面の提出等》の規定に基づき交付する「自動車保管場所証明書」の交付手数料は、非課税になりますか？

なります

補足説明

「自動車保管場所証明書」は公文書であり、交付手数料が条例により定められていますから、その手数料は非課税となる国、地方公共団体等の役務の提供の対価に該当し、非課税となります。

② 自動車の保管場所の確保等に関する法律第6条《保管場所標章》の規定に基づき交付する「保管場所標章」の交付手数料は、非課税になりますか？

なります

補足説明

「保管場所標章」は公文書であり、交付手数料が条例により定められていますから、その手数料は非課税となる国、地方公共団体等の役務の提供の対価に該当し、非課税となります。

参考：法6①、法別表第二第5号イ (3)

Q−36　指定認定機関が収受する認定手数料

判　定　事　例	判　定

ＪＩＳマークの認定を受けようとする場合には、申請者は、経済産業大臣から指定を受けて認定事業を行っている指定認定機関に納付する一定額の手数料（経済産業大臣から許可を受けて定めるもの）は、非課税になりますか？

なります

補足説明

国の指定を受けた者が法令の規定に基づき行う「認定」であり、その手数料の徴収は法令に基づくものですから、非課税となります。

参考：法6①、法別表第二第5号イ (1)

Q−37 薬局の薬剤販売

判 定 事 例	判 定
薬局が医師の処方せんに基づき薬剤を調合し、患者に投薬していることは医療として非課税となりますか？	なります

 補足説明 　薬局が医師の処方せんに基づき患者に投薬する場合には、薬局が行う投薬は医療行為の一環として行われるものです。

したがって、その医療行為が健康保険法等の療養の給付に係るものである場合には、薬局が処方せんに基づいて行う投薬についても非課税となります。

参考：法6①、法別表第二第6号

Q−38 社会保険医療等のうち課税されるものの範囲

判 定 事 例	判 定
社会保険医療、老人保健施設療養、公費負担医療、公害補償・労働者災害補償保険・損害賠償保障に係る医療（社会保険医療等）であっても、差額ベッド料などは課税になりますか？	なります

参考：法6①、法別表第二第6号かっこ書、平元.1.26大蔵省告示第7号

Q−39 健康保険で取り扱う高度先進医療

判 定 事 例	判 定
高度先進医療は、その医療給付の全額について非課税になりますか？	なります

 補足説明 　特定承認保険医療機関及び特定承認医療取扱機関において行われるいわゆる高度先進医療については、保険給付される基礎部分と先進技術部分の被保険者等の自費負担部分（先進医療に係る費用）とが密接に関連していることから、先進医療に係る費用として患者から支払を受ける金額に相当する部分も含めて非課税になります。

	判 定
高度先進医療であればいわゆる差額ベッド代は非課税になりますか？	 なりません

参考：法6①、法別表第二第6号

Q－40　自動車事故の被害者に対する療養

| 判　定　事　例 | 判　定 |

　自動車事故の被害者に対する医療について、次の費用は非課税になりますか？

①　自動車事故（ひき逃げ事故を含みます。）の被害者に対する療養

なります

 補足説明
　非課税とされる療養は、自動車損害賠償責任保険の支払を受けて行われる療養であれば、自動車損害賠償責任保険の支払額を限度とするものではなく、任意保険や自費（加害者などが支払う額）で支払われるものであっても、その療養の全部が非課税とされています。
　また、非課税とされる療養の範囲は、医療機関が必要と認めた療養（おむつ代、松葉杖の賃貸料、付添寝具料、付添賄料等を含みます。）を全て含むものであり、たとえ自由診療であっても、全て非課税となります（ただし、自由診療の場合には、自動車事故による療養であることを記録によって証明する必要があります。）。

②　療養を受ける者の希望によって特別病室の提供等を行った場合における患者が支払う差額部分（いわゆる差額ベッド代）

なりません

③　他人から損害賠償額の支払を受ける立場にない、自らの運転による自動車事故の受傷者に対する自由診療として行われる療養

なりません

④　診断書及び医師の意見書等の作成料

なりません

参考：法6①、法別表第二第6号ヘ、基通6－6－1

Q－41　地方公共団体の職員に対する健康診断等

判　定　事　例	判　定

医療法人が法令の規定に基づくものでなく、市の職員に対し市が費用を全て負担して行った次のような診療等は、非課税になりますか？

① 全職員対象にした日本脳炎の予防接種

なりません

② 感染の危険性が高い事務に従事している職員を対象としたＢ型肝炎の検査

なりません

③ 35歳以上の全職員を対象とした健康診断

なりません

 補足説明

一般私企業が従業員の健康診断等を実施するのと同じものといえますから、非課税とはなりません。

参考：法2①十二、6①、法別表第二第6号、令14二十四

Q－42　ＮＰＯ法人が介護保険サービス事業を行う場合の消費税の取扱い

判　定　事　例	判　定

ＮＰＯ法人が介護保険サービス事業を行う場合、非課税になりますか？

なります

 補足説明

介護保険制度における居宅介護サービス及び施設介護サービスについては、これらのサービスを提供する介護サービス事業者がＮＰＯ法人か否かに関わらず、原則として、非課税となります。

ただし、介護サービスとして行われるサービス等であっても、要介護者の求めに応じて提供される特別な食事や特別な居室等の料金は、非課税範囲から除かれます（これらの料金は介護保険の給付対象からも除かれています。）。

参考：法別表第二第7号イ

Q−43 ● 非課税となる介護サービス等の範囲

判 定 事 例	判 定
介護保険法の規定に基づく次の介護サービスについては、非課税になりますか？	
① 　居宅介護サービス費の支給に係る居宅サービス	○ なります
② 　施設介護サービス費の支給に係る施設サービス	○ なります
③−1 　特例居宅介護サービス費の支給に係る訪問介護等	○ なります
③−2 　上記のうち、要介護者の選定による交通費を対価とする資産の譲渡等、特別な浴槽水等の提供、送迎、特別な居室の提供、特別な療養室等の提供、特別な食事の提供又は介護その他の日常生活上の便宜に要する費用を対価とする資産の譲渡等	✕ なりません
④ 　地域密着型介護サービス費の支給に係る地域密着型サービス	○ なります
⑤−1 　特例地域密着型介護サービス費の支給に係る定期巡回・随時対応型訪問介護看護等	○ なります
⑤−2 　上記のうち、要介護者の選定による交通費を対価とする資産の譲渡等、送迎、特別な居室の提供、特別な食事の提供又は介護その他の日常生活上の便宜に要する費用を対価とする資産の譲渡等	✕ なりません

⑥-1

特例施設介護サービス費の支給に係る施設サービス

なります

⑥-2

上記のうち、要介護者の選定による特別な居室の提供、特別な療養室の提供、特別な病室の提供又は特別な食事の提供

なりません

⑦-1

介護予防サービス費の支給に係る介護予防訪問入浴介護等

なります

⑦-2

上記のうち、要支援者の選定による交通費を対価とする資産の譲渡等、特別な浴槽水等の提供、送迎、特別な居室の提供、特別な療養室等の提供、特別な食事の提供又は介護その他の日常生活上の便宜に要する費用を対価とする資産の譲渡等

なりません

⑧

特例介護予防サービス費の支給に係る介護予防訪問入浴介護等

なります

⑨-1

地域密着型介護予防サービス費の支給に係る介護予防認知症対応型通所介護等

なります

⑨-2

上記のうち、居宅要支援者の選定による送迎及び交通費を対価とする資産の譲渡等

なりません

⑩-1

特例地域密着型介護予防サービス費の支給に係る介護予防認知症対応型通所介護等

なります

⑩-2

上記のうち、居宅要支援者の選定による送迎及び交通費を対価とする資産の譲渡等

なりません

⑪ 居宅介護サービス計画費の支給に係る居宅介護支援及び介護予防サービス計画費の支給に係る介護予防支援

なります

⑫ 特例居宅介護サービス計画費の支給に係る居宅介護支援及び特例介護予防サービス計画費の支給に係る介護予防支援

なります

⑬ 市町村特別給付として要介護者又は居宅要支援者に対して行う食事の提供

なります

⑭ 地域支援事業として居宅要支援被保険者等に対して行う介護予防・日常生活支援総合事業に係る資産の譲渡等

なります

参考：法6①、法別表第二第7号イ、令14の2、基通6−7−1

Q−44 要介護者が負担する介護サービス費用の取扱い

判 定 事 例	判 定
介護保険制度では、原則として、厚生労働大臣が定める基準により算定した費用の額の9割が保険給付され、1割が要介護者の負担となりますが、保険給付部分（9割）は非課税となりますか？	なります

補足説明

消費税法上、居宅介護サービスの場合、そのサービスが居宅介護サービス費の支払対象となる種類のサービスであれば、保険者（市区町村）から支給される居宅介護サービス費の9割部分に限らず、本人が負担することとなる1割相当額についても非課税となります。

参考：法6①、法別表第二第7号イ、令14の2、基通6−7−2

Q−45 有料老人ホームにおける介護サービスの取扱い

判 定 事 例	判 定
社会福祉法人は、有料老人ホームを経営していますが、介護サービスも、非課税になりますか？	なります

 　消費税法上非課税となるのは、介護保険法の規定に基づく介護サービスに限られますので、有料老人ホームの入居者のうち、介護保険法上の要介護者に対して、特定施設サービス計画に基づきその施設において行われる入浴、排せつ、食事等の介護、生活等に関する相談・助言等の日常生活を営むのに必要な便宜の供与は、介護保険法に規定する特定施設入所者生活介護に該当し、非課税となります。

Q-46 福祉用具貸与に係る取扱い

判 定 事 例	判 定
物品賃貸業の会社が介護保険法の規定に基づく福祉用具のリースを始めた場合、非課税になりますか？	 **なりません**

 　福祉用具の貸付けが消費税法別表第二第10号《身体障害者用物品の譲渡等》に規定する身体障害者用物品の貸付けに該当するときには、非課税となります。

参考：基通6-7-3

Q-47 住宅改修費の支給に係る消費税の取扱い

判 定 事 例	判 定
介護保険法に基づく役務の提供（サービス）は消費税が非課税となりますが、施主からの依頼による手すりの取付け、段差解消の介護保険給付の対象となる住宅改修を行った場合、この住宅改修費は非課税になりますか？	 **なりません**

 　介護保険給付の対象となる住宅改修については、非課税となる介護保険に係る資産の譲渡等には該当しません。

参考：法別表第二第7号、令14の2

Q-48 社会福祉法人が行う施設の受託経営

判 定 事 例	判 定
社会福祉法人では、県が設置する社会福祉施設等の経営を県から委託されていますが、次のような社会福祉施設等の受託経営は、非課税になりますか？ ①　特別養護老人ホーム（第一種社会福祉事業）	 **なります**

補足説明　社会福祉法第2条第2項《定義》に規定する第一種社会福祉事業として行われる資産の譲渡等については、消費税が非課税とされており、特別養護老人ホームを経営する事業もこれに該当します。

　また、第一種社会福祉事業として行われる資産の譲渡等には、第一種社会福祉事業に係る施設等の設置者が自ら行う養護、治療、指導等の役務の提供のほかに、社会福祉法人等がその施設等の設置者からの委託を受けてその設置者のために行うその施設等の経営も含まれることとされています。

　したがって、特別養護老人ホームの受託経営について、委託者である県から収受する経営委託料は非課税となります。

② 　リハビリテーション病院

なりません

補足説明　リハビリテーション病院については、そこで行われる保険診療等が非課税となりますが、その保険診療等の非課税収入は病院の設置者に帰属することとなっていますので、これらの施設の経営の委託を受けた事業者がその設置者から収受する経営委託手数料は、課税になります。

参考：法6①、法別表第二第6号、第7号

Q−49　小規模な児童福祉施設

判 定 事 例	判 定
児童福祉法にいう知的障害児通園施設で定員が15人と小規模であるため社会福祉法第2条第4項第4号により同法にいう社会福祉事業には含まれないことになっているものを経営している社会福祉法人が、事業として行う資産の譲渡等は、課税になりますか？	 **なりません**

参考：法6①、法別表第二第7号ロ、令14の2④、14の3

Q−50　福祉施設における固定資産の譲渡

判 定 事 例	判 定
養護老人ホームを経営している社会福祉法人が、老人養護のための最新の設備を購入するのに伴って、古くなった機械設備を売却した場合、課税になりますか？	 **なります**

補足説明

　非課税となるのは、社会福祉事業として行われる資産の譲渡等に限られます。

　　　　　　　　　　参考：法6①、法別表第二第7号ロ、基通6－7－5

Q－51　障害者相談支援事業を受託した場合の取扱い

判　定　事　例	判　定

　当社会福祉法人は、市との委託契約に基づき、「障害者相談支援事業」を行っており、当該事業に係る委託料を受領していますが、受領する委託料の消費税は非課税になりますか？

　なお、受託する障害者相談支援事業は、障害者の日常生活及び社会生活を総合的に支援するための法律第77条第1項第3号の規定に基づき、市町村が行うものとされている事業となります。

なりません

補足説明

　社会福祉法に規定する社会福祉事業として行われる資産の譲渡等については、消費税が非課税となります。

　社会福祉法上、障害者の日常生活及び社会生活を総合的に支援するための法律（以下「障害者総合支援法」といいます。）に規定する「一般相談支援事業」及び「特定相談支援事業」は第二種社会福祉事業とされていますが、「障害者相談支援事業」は、障害者に対する日常生活上の相談支援を行うものであり、入所施設や病院からの地域移行等の相談を行う「一般相談支援事業」や、障害福祉サービスの利用に係る計画作成等の支援を行う「特定相談支援事業」には該当せず、また、社会福祉法に規定する他の社会福祉事業のいずれにも該当しません。

　したがって、御質問の障害者相談支援事業は、消費税法上、非課税の対象として規定されているものでもないことから、当該事業の委託は、非課税となる資産の譲渡等には該当せず、受託者が受け取る委託料は、課税の対象となります。

　　　　　　　　　　参考：法別表第二第7号ロ、基通6－7－9（注）

Q－52 認可外保育所における利用料

判 定 事 例	判 定

① 認可外の保育所が、利用者から受け取る利用料については、非課税になりますか？

○

なります

 補足説明

　都道府県知事の認可を受けていない保育施設（以下「認可外保育施設」といいます。）のうち、一定の基準を満たすもので都道府県知事等（都道府県知事又は地方自治法第252条の19第1項の指定都市、同法第252条の22第1項の中核市若しくは児童福祉法第59条の4第1項の児童相談所設置市の長をいいます。）からその旨の証明書の交付を受けている場合には、当該施設において乳児又は幼児を保育する業務に対する利用料については、児童福祉法の規定に基づく認可を受けて設置された保育所の保育料と同様に非課税となります。

② 認可外保育施設において施設利用者に対して行う次のような料金等を対価とする資産の譲渡等については、課税になりますか？
・ 施設利用者の選択により付加的にサービスを受けるためのクリーニング代
・オムツサービス代
・スイミングスクール等の習い事の講習料等
・バザー収入

○

なります

 補足説明

　乳児又は幼児を保育する業務として行われるものに該当しないので、課税になります。

参考：法別表第二第7号ハ、令14の3一、基通6－7－7の2、平17.3.31厚生労働省告示第128号（最終改正：令5.3.31厚生労働省告示第151号）

Q－53 ● 産後ケア事業の取扱い

当市は、「産後ケア事業」の実施主体として、保健指導等の対象者に「産後ケアサービス」を実施していますが、産後ケア事業として行われる資産の譲渡等に係る消費税は非課税となりますか。

判 定

なります

　補足説明

　市町村が産後ケア事業（短期入所型、通所型、居宅訪問型）として自ら実施対象者に対して産後ケアサービス（保健指導等）を行い、その実施対象者から利用料を徴収する場合、その利用料を対価として行う産後ケアサービスは、「産後ケア事業として行われる資産の譲渡等」に該当し、消費税は非課税となり、その利用料も非課税となります。

　なお、市町村において、利用料を徴収しないとすることも可能であり、この場合の産後ケアサービスは、対価を得て行う役務の提供（資産の譲渡等）には該当しないことから、消費税の課税対象とはならず、不課税取引となります。

参考：法6①、法別表第二第7号ハ、令14の3七

Q－54 ● 産後ケア事業を一部委託した場合の取扱い

当医療法人は、市から受託したショートステイ（宿泊型）の「産後ケア事業」には、その中心的業務である保健指導、療養に伴う世話、育児に関する指導・相談等の業務のほか、当該施設の清掃業務やベッドシーツのクリーニング等の洗濯業務が含まれています。当該受託した業務のうち洗濯業務をA社に委託し、A社に支払った委託料は非課税になりますか。

判 定

なりません

　補足説明

　母子保健法第17条の2第1項に規定する産後ケア事業として行われる資産の譲渡等は、社会福祉事業に類するものとして非課税となります。

　貴社が受託したショートステイ（宿泊型）の「産後ケア事業」は、保健指導等の中心的業務はもとより、当該業務と併せて実施する当該施設の清掃業務やベッドシーツのクリーニング等の洗濯業務についても、ショートステイ（宿泊型）の「産後ケア事業」を遂行するに当たり必要とされる付随的業務と認められることから、その全てが同号に掲げる事業に該当し、非課税となりますが、付随的業務のみを委託した場合は、母子健康法第17条の2第1項第1号に規定する産後ケア事業として行われる資産の譲渡等には該当しないことから、課税の対象となります。

参考：法別表第二第7号ハ、令14の3七

Q−55 助産に係る資産の譲渡等の非課税の範囲

判 定 事 例	判 定
当医療法人は、産婦人科も診療科目の一つとなっていますが、例えば、次のものは非課税になりますか？ ① 妊娠中の入院及び出産後の入院における差額ベッド料 ② 特別給食費 ③ 大学病院等の初診料	○ なります ○ なります ○ なります

参考：法6①、法別表第二第8号、基通6−8−1、6−8−3

Q−56 死産、流産、人工妊娠中絶の取扱い

判 定 事 例	判 定
助産に係る資産の譲渡等で次のものは非課税になりますか？ ① 死産、流産 ② 人工妊娠中絶	○ なります × なりません

参考：法6①、法別表第二第8号

Q−57 葬儀代等の取扱い

判 定 事 例	判 定

葬儀に係る資産の譲渡等で、次のものは非課税となりますか？

① 火葬（埋葬）許可手数料

なります

 補足説明　地方公共団体が条例に基づいて徴収する許可事務に係る役務の提供の対価に該当するので、行政手数料として非課税となります。

② 火葬（埋葬）料

なります

 補足説明　墓地、埋葬等に関する法律第2条に規定する火葬及び埋葬の対価として収受されるもので、非課税となります。

③ 霊柩車使用料

なりません

④ 葬儀社等が受け取る葬儀料

なりません

参考：法6①、法別表第二第5号イ、第9号

Q−58 非課税となる身体障害者用物品の範囲

判 定 事 例	判 定

自動車ディーラーが、下肢に障害があり運転免許証にオートマチック車に限る条件が付された人に対するオートマチック車の販売は、非課税になりますか？

なりません

 補足説明　オートマチック車は、一般に普及しているものであり、購入者の運転免許の条件にはなっていたとしても、身体障害者用としての補助手段が講じられたものではありませんから、身体障害者用物品には該当せず、その譲渡について非課税になりません。

> 参考：法6①、法別表第二第10号、令14の4、基通6－10－1、平3.6.7
> 厚生労働省告示第130号（最終改正：令5.5.10厚生労働省告示第1号）

Q－59 身体障害者用物品の部分品の譲渡

判 定 事 例	判 定
身体障害者用物品の製作業の下請けで、その部分品を製造している場合、身体障害者用物品の部分品の譲渡は、非課税になりますか？	**なりません**

 補足説明　身体障害者用物品の部分品は、身体障害者用物品そのものではありませんから、その譲渡等は課税になります。

> 参考：法6①、法別表第二第10号、令14の4、基通6－10－2

Q－60 身体障害者用物品である自動車の附属品の販売

判 定 事 例	判 定
身体障害者用物品に該当する自動車の販売に際して、フロアマット、愛車セット等の附属品を販売する場合は、附属品を含めたところで全体が非課税になりますか？	**なります**

 補足説明　非課税の対象となる身体障害者用の自動車と一体として販売され、その使用に当たって常時その自動車と一体性があると認められる装備、附属品については、当該装備、附属品を含めた全体が、身体障害者用物品に該当する自動車の販売として非課税となります。

> 参考：法6①、法別表第二第10号、令14の4、基通6－10－1、6－10－2

Q－61 学校が徴収する設備充実費

判 定 事 例	判 定
高等学校を経営している学校法人が、施設の維持管理の費用に充てるため、生徒から徴収している設備充実費は、非課税になりますか？	**なります**

　学校教育関係については、学校教育法第１条に規定する学校、一定の要件を満たす同法の各種学校、専修学校及び職業訓練校等における、①授業料、②入学金及び入園料、③施設設備費、④入学又は入園のための試験に係る検定料、⑤在学証明、成績証明その他学生、生徒、児童又は幼児の記録に係る証明に係る手数料及びこれに類する手数料を対価とする役務の提供が非課税となります。

　このうち、施設設備費とは、学校等の施設設備の整備・維持を目的として学生等から徴収するものをいい、例えば、施設設備費（料）、施設設備資金、施設費、設備費、施設拡充費、設備更新費、拡充設備費、図書館整備費、施設充実費、設備充実費、維持整備資金、施設維持費、維持費、図書費、図書拡充費、図書室整備費、暖房費というような名称で徴収されるものをいいます。

　設備充実費は、ここでいう施設設備費の範ちゅうに入るものと認められますから、非課税となります。

参考：法６①、法別表第二第11号、令14の５、基通６−11−２

Q−62　学校が徴収する受託研究手数料

判　定　事　例	判　　定
私立大学を経営している学校法人が、企業から、理学関係の研究の委託を受ける場合に受領する受託研究手数料は、非課税になりますか？	 ✕ なりません

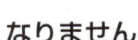

　受託研究手数料は、他の事業者のために行う研究を内容とする役務の提供の対価ですので、課税となります。

参考：法６①、法別表第二第11号、令14の５、基通６−11−４

Q−63　学校における給食費

判　定　事　例	判　　定
学校教育法第１条に規定する小学校や中学校では、学校給食法に基づく給食を児童、生徒に実施していますが、保護者が負担する給食費は、非課税になりますか？	 ✕ なりません

参考：法６①、法別表第二第11号、令14の５、基通６−11−４

Q−64 非課税となる在学証明等手数料

判 定 事 例	判 定
学校教育に関する役務の提供で「在学証明、成績証明その他学生、生徒、児童又は幼児の記録に係る証明に係る手数料及びこれに類する手数料」を対価とするものについては、非課税になりますか？	○ なります

参考：法6①、法別表第二第11号、令14の5五、基通6−11−3

Q−65 私立幼稚園の授業料

判 定 事 例	判 定
個人や宗教法人の経営する私立幼稚園の授業料は、非課税になりますか？	○ なります

参考：法6①、法別表第二第11号イ、令14の5一、基通6−11−5

Q−66 入学検定料

判 定 事 例	判 定
大学において、教育課程の中途から履修することとなる学生から、編入学に係る入学検定の検定料を徴収して実施している場合の入学検定料は、非課税になりますか？	○ なります

参考：法6①、法別表第二第11号、令14の5四

Q−67 非課税となる教科用図書の範囲　その1

判 定 事 例	判 定
書店経営者が、毎年、高等学校に授業時の副読本として使用する特定の参考書を納入している場合、この参考書の譲渡は、非課税になりますか？	× なりません

 補足説明

参考書は、たとえ学校の授業に使用することが明確であったとしても、非課税の対象とされている教科用図書には該当しません。

参考：法6①、法別表第二第12号、基通6−12−1、6−12−3

Q−68 非課税となる教科用図書の範囲　その2

判 定 事 例	判 定
書店経営者が、毎年、県立の農業高等学校に、県が教科書として採択した園芸に関する書物を納入している場合、この書物の譲渡は、非課税になりますか？	なりません

 補足説明　学校教育上は、教科用図書に該当するとしても、学校教育法第34条第1項に規定する文部科学省検定済教科書等ではありませんから、非課税とはなりません。

参考：法6①、法別表第二第12号、基通6−12−1

Q−69 教科用図書の譲渡相手

判 定 事 例	判 定
書店経営者が、私塾等に対して教科書を販売する場合、学校の生徒以外の者に対する教科書の販売は、非課税になりますか？	なります

 補足説明　学校の生徒以外の者に対する譲渡であっても、その譲渡するものが文部科学省検定済教科書等に該当する限り、非課税となります。

参考：法6①、法別表第二第12号

Q−70 教科書の取次手数料

判 定 事 例	判 定
書店経営者が、小中学校の教科書の取次ぎにより、供給業者から配送手数料を収受している場合、この配送手数料は、非課税になりますか？	なりません

参考：法6①、法別表第二第12号、基通6−12−2

Q−71 住宅の貸付けに係る非課税範囲の明確化

判 定 事 例	判 定
住宅の貸付けに係る契約において、当該貸付けに係る用途が明らかにされていない場合に当該貸付け等の状況からみて人の居住の用に供されていることが明らかな場合、当該住宅の貸付けは、非課税になりますか？	なります

補足説明

　「当該契約において当該貸付けに係る用途が明らかにされていない場合」には、例えば、住宅の貸付けに係る契約において、住宅を居住用又は事業用どちらでも使用することができることとされている場合が含まれます。

　また、「当該契約において当該貸付けに係る用途が明らかにされていない場合に当該貸付け等の状況からみて人の居住の用に供されていることが明らかな場合」とは、住宅の貸付けに係る契約において当該貸付けに係る用途が明らかにされていない場合に当該貸付けに係る賃借人や住宅の状況その他の状況からみて人の居住の用に供されていることが明らかな場合をいいますので、例えば、住宅を賃貸する場合において、次に掲げるような場合が該当します。

①　住宅の賃借人が個人であって、当該住宅が人の居住の用に供されていないことを賃貸人が把握していない場合

②　住宅の賃借人が当該住宅を第三者に転貸している場合であって、当該賃借人と入居者である転借人との間の契約において人の居住の用に供することが明らかにされている場合

③　住宅の賃借人が当該住宅を第三者に転貸している場合であって、当該賃借人と入居者である転借人との間の契約において貸付けに係る用途が明らかにされていないが、当該転借人が個人であって、当該住宅が人の居住の用に供されていないことを賃貸人が把握していない場合

　この改正は、令和２年４月１日以後に国内において事業者が行う資産の譲渡等及び課税仕入れについて適用されています。

参考：法６①、法別表第二第13号、令２改法附１、46①、基通６−13−10、６−13−11

Q−72 住宅の貸付けに伴う駐車場の貸付け

判　定　事　例	判　定
賃貸マンションの経営者が、その賃貸マンションの１階を、マンション住人用の駐車場として貸し付けている場合、この駐車場の貸付けは、非課税になりますか？	 なりません

補足説明

　自動車の所有の有無にかかわらず、入居者１戸当たり１台分以上のスペースが割り当てられている場合で、家賃とは別に駐車場使用料を収受していないものであれば、住宅の貸付けに付随するものとして非課税になりますが、それ以外の場合は、住宅の貸付けとは別のものとして取り扱うことになり、その駐車場の貸付けに係るものは、課税になります。

参考：法６①、法別表第二第１号、第13号、基通６−13−１、６−13−２、６−13−３

Q-73 共益費の取扱い

判 定 事 例	判 定

住宅の賃貸作の共益費は、非課税になりますか？

なります

 補足説明　共益費とは、集合住宅における共用部分に係る費用（廊下の電気代、エレベーターの運行費用、集会所の維持費等）を入居者から応分に徴収するもので、住宅の貸付けの対価として非課税になります。

住宅家賃と併せて徴収される次の施設に係る費用部分は、非課税になりますか？
① 居住者以外の者でも会費等を支払うことにより利用できるプール、アスレチック施設等
② 駐車場等の施設で独立して賃貸借の目的となるような施設

なりません

参考：法6①、法別表第二第13号、基通6-13-1、6-13-2、6-13-3

Q-74 貸別荘の課否

判 定 事 例	判 定

貸別荘やリゾートマンションの貸付期間が1か月以上であれば、非課税になりますか？

なりません

 補足説明　貸別荘やリゾートマンションは、旅館業法第2条第1項に規定する旅館業に該当しますから、たとえこれらの施設の利用期間が1か月以上であっても、その貸付けは非課税になりません。

参考：法6①、法別表第二第13号、令16の2、基通6-13-4

Q−75 下宿の非課税

判 定 事 例	判 定
大学の近所で大学生相手に営んでいる貸間業（いわゆる下宿）は、非課税になりますか？	○ **なります**

補足説明 契約で居住の用に供するための貸付けであることが明らかな場合は、1か月以上の貸付けである限り非課税になります。

参考：法6①、法別表第二第13号、令16の2、基通6−13−4

Q−76 マンスリーマンションの貸付け

判 定 事 例	判 定

次の条件でマンスリーマンションの貸付けを行っていますが、課税になりますか？

1 入居期間

　一時使用を目的とした賃貸借とし、原則として1か月を1単位として入居期間を契約する。ただし、日割り計算による1か月未満の契約もできる。

2 入居目的

　居住用の目的以外では入居できない。

3 賃貸料

　賃貸料は月ぎめで、毎月末に翌月分を指定口座に振り込む。

4 生活備品

　布団類、家電製品、調理器具、食器及び洗面用具等、通常生活に必要な備品はあらかじめ備え付けてある。

　なお、使用料は月ぎめの賃貸料に含まれる。

5 生活消耗品

　洗剤、トイレットペーパー等の消耗品も、最低限の備付けがあるが、その後は入居者自身で調達する。

6 クリーニング

　シーツ、カバー等のクリーニングは入居者自身で行う。

なお、このマンションの貸付けについては、旅館業法に規定する「旅館業」に該当しないとの確認を保健所から受けています。

| ① 契約期間が1か月以上の場合 | **なりません**
（非課税） |
| ② 契約期間が1か月未満の場合 | **なります** |

補足説明

マンスリーマンションについては、①この貸付けが旅館業法に規定する「旅館業」に該当しないこと、②契約において人の居住の用に供することが明らかにされていること（当該契約において当該貸付けに係る用途が明らかにされていない場合に当該貸付け等の状況からみて人の居住の用に供されていることが明らかな場合を含みます。）及び③実態において賃借人が居住の用に供していると認められることから、契約期間が1か月以上の場合は非課税である住宅の貸付けに該当することとなり、1か月未満の場合は課税になります。

なお、この貸付けが旅館業法に規定する「旅館業」に該当する場合は、契約期間にかかわらず課税となります。

参考：法6①、法別表第二第13号、令16の2、基通6－13－4

Q−77 店舗併設住宅の取扱い

判 定 事 例	判 定
居住の用に供する住宅の貸付けは、非課税となりますが、店舗併設住宅の場合は、非課税になりますか？	**住居部分は** **非課税となります**

参考：法6①、法別表第二第13号、基通6－13－5

Q−78 社宅、独身寮の貸付け

判 定 事 例	判 定
社宅や独身寮の貸付けは、非課税になりますか？	**なります**

 補足説明　独身寮で食事を提供する場合の食事代は、課税となります。

参考：法6①、法別表第二第13号、令16の2、基通6－13－6

Q－79 転貸住宅

判 定 事 例	判 定
住宅の賃貸業を営む者が、法人に住宅を賃貸し、その法人が住宅を従業員に貸し付ける場合、この法人に対する住宅の貸付けは非課税になりますか？	 なります

参考：法6①、法別表第二第13号、基通6－13－7、6－13－11

Q－80 用途変更の取扱い

判 定 事 例	判 定
ワンルームマンションの賃貸借契約書においては、居住用以外に使用してはならない旨を記載していますが、賃借人が、これに違反して、例えば事務所に使用した場合は、非課税になりますか？	 なります

 補足説明　当事者間で事業用に用途変更することについて契約をした場合には、その用途変更の契約後においては、課税となり、賃借人においても課税仕入れに該当します。

参考：法6①、法別表第二第13号、基通6－13－8

Q－81 非課税となる住宅家賃等の範囲

判 定 事 例	判 定
居住の用に供する住宅の貸付けは、非課税になりますが、入居時に収受する一時金は、非課税になりますか？	 なります

 補足説明　貸付けが居住の用に供する住宅の貸付けとして非課税となるものである限り、入居一時金等で返還を要しないものも非課税となります。

参考：法2②、6①、法別表第二第13号、基通6－13－9

Q−82 行政機関等が行う手数料を対価とする非識別加工情報に係る役務の提供

判 定 事 例	判 定
行政機関等が行う手数料を対価とする非識別加工情報に係る役務の提供に、非課税になりますか？	○ なります

補足説明

　国、地方公共団体、消費税法別表第三に掲げる法人その他法令に基づき国又は地方公共団体の委託又は指定を受けた者が法令に基づき行う、独立行政法人等の保有する情報の公開に関する法律第17条第１項に規定する手数料を対価とする役務の提供その他これに類するものとして財務省令で定めるものは、非課税とされています。

　平成29年４月の消費税法等の一部改正において、上記「財務省令」が改正され、独立行政法人等非識別加工情報の利用に関する契約を締結する者が納める手数料を対価とする役務の提供が追加されました。

参考：法別表第二第５号、令12②四、規３の２

Q−83 暗号資産の譲渡

判 定 事 例	判 定
国内の暗号資産交換業者を通じて保有する暗号資産を譲渡した場合は、非課税になりますか？	○ なります

補足説明

　消費税法上、支払手段及びこれに類するものの譲渡は非課税とされています。国内の暗号資産交換業者を通じた暗号資産の譲渡は、この支払手段等の譲渡に該当し、非課税となります。

　また、消費税の確定申告を一般課税により行う場合には、仕入控除税額を計算する際、当課税期間の課税売上高、免税売上高及び非課税売上高を基に課税売上割合を算出することとなりますが、支払手段等に該当する当該暗号資産の譲渡については、課税売上割合の算出に当たって、非課税売上高に含めて計算する必要はありません。

(注) 1　暗号資産交換業者に対して暗号資産の売買に係る仲介料として支払う手数料は、仲介に係る役務の提供の対価として支払うものですので、課税対象になります。

　　　なお、暗号資産の売買を目的とした購入に係る手数料は、消費税の申告において個別対応方式を採用する場合、課税資産の譲渡等以外の資産の譲渡等にのみ要する課税仕入れ（いわゆる非課税売上げに対応する課税仕入れ）に該当することとなります。

2 平成29年6月以前に国内において行った暗号資産の譲渡は、消費税の課税対象となります。

なお、消費税の課税事業者に該当する方が、平成29年6月以前に国内において行った暗号資産の購入に係る課税仕入れについて仕入税額控除の適用を受けるためには、取引の相手方の氏名等一定の事項が記載された帳簿及び請求書等の保存が要件となりますが、暗号資産交換業者などの媒介者を介して行われる暗号資産の購入に関し、取引の相手方又は媒介者から請求書等の交付を受けられないなど、やむを得ない理由がある場合には、帳簿にその旨と媒介者の氏名等を記載して保存することとなります。

3 令和5年6月1日以降に国内において行われる電子決裁手段の譲渡についても、上記と同様に、支払手段等の譲渡に該当しますので、消費税は非課税となります。

また、当該電子決裁手段の譲渡についても、課税売上割合の算出に当たって、非課税売上高に含めて計算する必要はありません。

参考：法6①、30、法別表第二第2号、令9④、48②、49

Q−84 暗号資産の貸付けにおける利用料

判 定 事 例	判 定
国内の暗号資産交換業者との間で暗号資産貸借取引契約を締結し、保有している暗号資産を貸し付けることにより、1年後の契約期間満了時に、当該貸し付けた暗号資産に一定の料率を乗じた金額を利用料として受領しました。 暗号資産交換業者が定める利用規約には、暗号資産交換業者に対して暗号資産を貸し付け、契約期間が満了した後、当該貸し付けた暗号資産と同種及び同等の暗号資産が暗号資産交換業者から返還されるとともに、当該返還に際して、利用料が支払われることが規定されています。 この場合の利用料は、非課税になりますか？	 **×** **なりません**

補足説明

暗号資産交換業者が定める利用規約には、契約期間が満了した後、貸し付けた暗号資産と同種及び同等の暗号資産が暗号資産交換業者から返還されるとともに、利用料が支払われることが規定されていることから、取引は事業者が対価を得て行う「資産の貸付け」に該当します。

また、取引は、支払手段及びこれに類するもの（暗号資産）の譲渡、利子を対価とする金銭の貸付け及び有価証券の貸付けのほか、消費税法別表第二に掲げる非課税取引のいずれにも該当しません。

したがって、利用料を対価とする暗号資産の貸付けは、消費税の課税対象となります。　　参考：法2①八、4①、6①、法別表第二第2号、令9④

第5章 　輸出免税

Q-1 ● 「非課税」と「免税」の違い

判　定　事　例	判　定
消費税法の中の「非課税」と「免税」の違いは、その取引のために行った課税仕入れについて仕入税額控除ができるかどうかということでよいでしょうか？	 他にも違いが あります

補足説明

非課税と免税との相違点は、次のようになります。

内　　　容	非　課　税	免　　税
国内における資産の譲渡等に該当するか	該　　　当	該　　当
課税資産の譲渡等に該当するか	非　該　当	該　　当
課税売上割合の分子に算入するか	不　算　入	算　　入
それぞれの資産の譲渡等に要する課税仕入れの個別対応方式による分類	非課税のみ用	課税のみ用

参考：法4、6、7、8、30、31、法別表第二、規5

Q-2 ● 商社が行う共同輸出に係る輸出免税

判　定　事　例	判　定
A社とB社が、X国からポリエステルプラントを共同で受注し、輸出契約書、輸出承認申請書、輸出申告書のいずれも連名でまた、輸出に関して業務協定書を締結し、両者の業務分担及びA社の受け取る口銭（共同輸出事業に係るA社の持分に応じて受け取る収入）等を定めている場合、A社の受け取る口銭は、輸出免税の対象になりますか？	 なります

補足説明

輸出証明書を保存することにより、消費税の輸出免税の対象となります。

参考：法7①一、②、規5①一、基通1-3-1、7-2-23

Q-3 ● 輸出向け物品の下請加工

判 定 事 例	判 定

最終的に輸出されることが明らかな物品に対する加工を請け負った場合、消費税の輸出免税の対象になりますか？

なりません

 補足説明　輸出する物品の製造のための下請加工や輸出取引のために行う国内間での資産の譲渡等については、輸出免税の適用はなく、課税となります。

参考：法7、基通7－2－2

Q-4 ● 商社経由の場合の輸出者の判定

判 定 事 例	判 定

メーカーが輸出先と商談をまとめ、商社は通関業務のみを行っている場合、メーカーをその輸出者とすることはできますか？

できません

 補足説明　商社が輸出申告の名義人である限り、商社が輸出免税の適用を受けることとなります。

参考：法7②、規5

Q-5 ● 名義貸しがある場合の輸出免税の適用者

判 定 事 例	判 定

輸出免税制度の適用を受けるには、輸出証明書など輸出したことを証する書類を保存することが要件とされていますが、取引先との関係で、単に名義を貸すだけのものが多く、名義を貸した者を輸出申告者として掲名するものの、輸出申告書の原本は実際に輸出取引を行った者（実際の輸出者）が保管している場合には、輸出申告書に掲名された者ではなく、実際の輸出者が輸出免税規定を適用することができますか？

できます

　消費税の輸出免税の適用を受けることができるのは輸出申告をする名義人に限られますが、この場合のように輸出申告名義が単に名義貸しによるものであり、実際に輸出を行った者が輸出名義人以外であるというような実態にあるときは、次の措置を講ずることを条件に、輸出申告書の名義にかかわらず実際の輸出者が輸出免税規定の適用を受けることができるものとされています。

1　実際の輸出者が講ずる措置

　　実際の輸出者は、輸出申告書等の原本を保存するとともに、名義貸しに係る事業者に対し「消費税輸出免税不適用連絡一覧表」を交付します。

2　名義貸しに係る事業者が講ずる措置

　　名義貸しに係る事業者は、確定申告書の提出時に、所轄税務署長に対して、実際の輸出者から交付を受けた「消費税輸出免税不適用連絡一覧表」の写しを提出します。ただし、当該確定申告書の提出に係る課税期間において全く輸出免税制度の適用を受けていない場合には、この限りではありません。

参考：法7①一、②、規5①一、基通7－2－23

Q-6　保税工場製品の商社への譲渡

判 定 事 例	判 定
保税工場において製造した製品を商社に譲渡し、商社では、その製品を国外の事業者に販売している場合、次の取引は課税になりますか？ ①　内国貨物のみを原材料として製造された製品の譲渡	 **なります**

　内国貨物のみを原材料として製造された製品は、内国貨物に該当しますから、その製品の譲渡は課税となります。

　また、その製品を商社が国外の事業者に販売する場合は、国内からの輸出として行われる資産の譲渡として輸出免税の適用を受けます。

②　保税作業として、外国貨物である部品等を内国貨物で製造された物品に取り付けてできた製品の譲渡	 **なりません**

関税法第59条第1項《内国貨物の使用等》により全体が外国貨物とみなされますから、この製品を商社に譲渡し、商社が積戻申告する場合であっても、この製品の譲渡は、外国貨物の譲渡に該当し、輸出類似取引として免税となります。もちろん、この保税作業のために課税仕入れを行っている場合には、仕入税額控除の対象となります。

また、商社がその製品を国外の事業者に販売する場合も外国貨物の譲渡として免税となります。ただし、商社におけるその製品の譲受けは、免税取引に係るものですから、課税仕入れとはなりません。

③　関税法第59条第2項に規定する税関長の承認を受けて、外国貨物とこれと同種の内国貨物を混合して保税作業に使用してできた製品のうち内国貨物に相当する部分の譲渡

なります

④　関税法第59条第2項に規定する税関長の承認を受けて、外国貨物とこれと同種の内国貨物を混合して保税作業に使用してできた製品のうち外国貨物に相当する部分の譲渡

なりません

関税法第59条第2項に規定する税関長の承認を受けて、外国貨物とこれと同種の内国貨物を混合して保税作業に使用したときは、これによりできた製品のうち、原材料となった外国貨物の数量に対応するもののみが外国貨物とみなされます。

⑤　②及び③、④の場合、原材料等として使用された外国貨物

なりません

製造された製品が課税貨物である限り、保税地域からの引取りとはみなされず、課税とはなりません。

参考：法4⑥、7①一、二、基通5－6－5

Q-7 保税地域で外国貨物を原材料として使用した場合

判 定 事 例	判 定
保税地域で外国貨物を課税貨物の原材料として消費、使用した場合は、消費、使用のときには保税地域からの引取りとみなされ、輸出免税の対象になりますか？	 **なりません**

 補足説明　保税地域で外国貨物を課税貨物の原材料として消費、使用した場合は、消費、使用のときには保税地域からの引取りとみなされず、現実に製品となった課税貨物を引き取るときに、当該課税貨物の引取りとして課税されます。

参考：法4②⑥、基通5−6−5

Q-8 保税地域経由の三国間貿易

判 定 事 例	判 定
国外で調達した商品をいったん国内の保税地域に搬入した後、引き取らないで、そのまま第三国に納入する形態の三国間貿易の場合、輸出免税の対象になりますか？	 **なります**

 補足説明　国外で調達した商品を国内の保税地域に搬入する行為は、輸入には該当しませんから、課税対象にはなりませんが、保税地域にある外国貨物を外国企業等に有償で譲渡し、国外へ搬出する行為は、国内における外国貨物の譲渡に該当しますので、輸出免税の規定が適用されることとなります。

参考：法7①二、基通7−2−3

Q-9 輸出物品の返品による引取り

判 定 事 例	判 定
輸出した物品を返品により、国内に引き取る場合、課税になりますか？	 **なりません**

 補足説明　国内から輸出された物品が返品されたため国内に引き取る場合、その輸出の許可の際の性質及び形状が変わっていないものとして関税が免除されるもの（関税定率法第14条第10号《再輸入貨物の無条件免税》に該当するもの）については、消費税を免除することとされていますから、仕様の違い、製品の瑕疵等の原因により返品された場合には、消費税は免税となります。

参考：輸徴法13①一、四

Q−10 出国に際して携帯する物品の輸出免税

判 定 事 例	判 定
居住者が海外旅行のために出国するに際し、旅行先への贈答品として物品を購入した場合は、輸出免税の対象となりますか？	**なります**

 補足説明　海外旅行等のために出国する居住者が、渡航先において贈答用に供するものとして出国に際して携帯する物品で、帰国若しくは再入国に際して携帯しないことの明らかなもの又は渡航先において使用若しくは消費をすることが明らかなもの（その物品の1個当たりの対価の額が1万円を超える場合に限ります。）については、一定の手続の下に消費税が免除されます。

参考：法7、基通7−2−20、7−2−21、様式通達第16号様式、第17号様式

Q−11 船舶運航事業者等の範囲

判 定 事 例	判 定
船舶の修理業を営む会社が、外航船舶等を船舶運航事業者等の求めに応じて修理した場合は、輸出免税の対象になりますが、国内の船舶運航事業者等に限られますか？	**限られません**

 補足説明　国内に支店等を設けている外国の事業者や、国内に支店等を有していない外国の事業者の求めによる外航船舶等の修理であっても、その外国の事業者が、海上運送法等による船舶運航事業等の定義に該当する事業を行っている事業者であれば、輸出免税の対象となります。

参考：法7、基通7−2−8

Q−12 外航船舶等の範囲

判 定 事 例	判 定
国際輸送用の船舶や航空機の譲渡などは、輸出免税の対象になる場合がありますが、次の場合は、輸出免税の対象になりますか？ ① 国際航海にのみ使用されることが海上運送法の規定等によって明らかな船舶の譲渡若しくは貸付け又は修理で、一定の方法により証明された船舶の譲渡若しくは貸付け又は修理	**なります**

② 国際航海と国内航海に併用される船舶で、船舶救命設備規則に規定する第一種船（貨物船の場合は、第三種船又は第四種船）であり、かつ、遠洋区域又は近海区域を航行区域とするものの譲渡で、譲渡後一定期間において就航日数の80％以上が国際航海に使用されるものであることが一定の方法により証明された船舶の譲渡

○
なります

③ 国際航海と国内航海に併用される船舶で、船舶の貸付けを受け、その貸付期間中の就航日数の80％以上が国際航海に使用されるものとして、一定の方法により証明された船舶の貸付け

○
なります

④ 国際航海と国内航海に併用される船舶で、船舶救命設備規則に規定する第一種船（貨物船の場合は、第三種船又は第四種船）に該当する船舶、又は貸付けに係る船舶のうち国際航海に使用される割合が80％以上のものの修理で、一定の方法により証明された船舶の修理

○
なります

 補足説明 　航空機についても、上記の船舶の取扱いに準じて国際輸送に使用される割合が80％以上の航空機については、外航船舶等として取り扱われることになります。　　　　　　　　　　　　　　参考：法7、令17①、②一

Q−13 外航船舶の救命設備の修理の取扱い

判 定 事 例	判 定
船舶安全法第5条の規定により義務付けられている船舶の、定期点検及び中間検査等の際に、外航船舶運航事業者の求めに応じて、外航船舶に装備されている救命艇、救命いかだ、救命胴衣等の救命器具の検査及び修理を行った場合、外航船舶の修理は、消費税の免税の対象になりますが、外航船舶の救命器具の修理も輸出免税の対象になりますか？	○ なります

補足説明
　外航船舶運航事業者の求めに応じて行われるこれらの救命器具の修理で、外航船舶に艤装又は装備されているものであるときは、輸出免税の対象になります。

　なお、外航船舶に艤装又は装備されているものについて行うものであっても、整備や修理を伴わない単なる検査は、修理に該当しないことから、輸出免税の対象とはなりません。　　　　　　　参考：法7、令17①三、②一ハ

Q−14　外航機の整備を行う場合の輸出免税

判 定 事 例	判 定
外航機の整備受託収入及び清掃受託収入等は、輸出免税の対象になりますか？	 **なります**

補足説明
　外航機（専ら日本と外国との間及び外国間の旅客等の輸送の用に供される航空機）を運行する者の求めに応じて行うその航空機の整備（修理）を行う場合には、その整備（修理）は、輸出類似取引に該当し、消費税の輸出免税の対象とされます。

　ただし、航空機から取りはずしたエンジンのみの修理の委託を受けたような場合は、航空機そのものの修理には該当せず、消費税の輸出免税の対象にはならないものとして取り扱われます。

　　　　参考：法7、令17①三、②一ハ、三、基通7−2−10、7−2−11

Q−15　外国の漁船から徴収する岸壁使用料

判 定 事 例	判 定
外国の漁船が国内の岸壁等港の施設を利用して、公海上で採捕した水産物を直接荷揚げした場合、外国の漁船から徴収する岸壁使用料等は、免税になりますか？	 **なりません**

補足説明
　岸壁使用料が免税となるのは、専ら国内及び国内以外の地域にわたって旅客又は貨物の輸送の用に供される船舶又は専ら国内以外の地域間で行われる旅客又は貨物の輸送の用に供される船舶を停泊させるために港湾施設を利用させる場合で、船舶運航事業者等の求めに応じて行われるものに限られます。

　「漁船」は上記のいずれの船舶にも該当せず、また、漁業者は船舶運航事業者等に該当しないため、岸壁使用料等は、課税になります。

　　　　　　　　参考：法7①四、五、令17①、②一、二、三

Q−16 輸入貨物の運送

判 定 事 例	判 定
輸入貨物の運送会社が行う、次の輸入貨物の運送は、輸出免税の対象になりますか？ ①　輸入の許可前の運送	 **なります**
②　輸入の許可後の運送	✕ **なりません**

 補足説明　外国貨物の運送に対する消費税の免税については、その貨物の運送が荷主から直接依頼されたものであることを要件とするものではありませんから、他の運送業者からの依頼によるものであっても、運送する貨物が輸入の許可前のものであれば、その運送については輸出免税の対象になります。

参考：法7、令17②四、関税法2①三

Q−17 免税とされる保税地域における役務の提供の範囲

判 定 事 例	判 定
貨物の保管のほか、倉庫業者が行う荷役、運送等の作業のうち、次の荷役等の作業は、輸出免税の対象になりますか？ ①　荷役等の役務の提供が外国貨物（関税法第30条第1項第5号に規定する特例輸出貨物を含みます。）について行われる場合	○ **なります**
②　関税法に規定する指定保税地域、保税蔵置場、保税展示場及び総合保税地域において輸出しようとする貨物及び輸入の許可を受けた貨物について行われる場合	○ **なります**

 補足説明　免税の対象となる外国貨物（特例輸出貨物を除きます。）の荷役等の役務の提供には具体的には次のようなものが該当することになります。
　①荷役、②運送、③保管、④検数、⑤鑑定、⑥検量、⑦通関手続、⑧青果物等のくんじょう。

参考：法7、令17②四、基通7−2−1、7−2−12、7−2−13

Q−18 非居住者に対する役務の提供

判 定 事 例	判 定
非居住者に対する次の役務の提供は、輸出免税の対象になりますか？	
① 経営コンサルタントが国内に支店を有する非居住者の依頼により行う国内の市場調査で、契約書の取り交わしは外国の本社と直接行い、調査報告書も本社に対して直接交付することとなっている場合	**なります**
② 弁護士が国内に支店を有する非居住者に対して行う法律相談で、直接外国の本社から依頼を受け、日本における民事関係の法律上の取扱いについて取りまとめ、本社に対して報告書を提出する場合	**なります**

参考：法7、令1②二、17②七、基通7−2−15、7−2−17

Q−19 外国企業の広告掲載

判 定 事 例	判 定
広告代理店会社が、国内に支店や出張所を設置していない外国企業（非居住者）からの依頼で、国内で発行する雑誌にその外国企業の商品の広告を掲載した場合、輸出免税の対象になりますか？	○ **なります**

補足説明　国内において行われる広告掲載という役務の提供によって受ける便益は、商品販売促進の利益であり、国外に帰することから、非居住者が直接国内において享受するものではありませんので、非居住者からの委託により行う広告や宣伝は輸出免税の対象となります。

参考：法7、令17②七、基通7−2−15、7−2−16、7−2−17

Q−20 京都メカニズムを活用したクレジットを外国法人に有償で譲渡した場合の取扱い

判 定 事 例	判 定
京都メカニズムを活用した排出クレジットの取引を行う内国法人が、外国法人（非居住者）にクレジットを有償で譲渡した場合、輸出免税の対象になりますか？	なります

 補足説明　内国法人が外国法人にクレジットを有償譲渡する場合には、当該クレジットは特許権等の無体財産に準ずるものとして、輸出免税の対象になります。

参考：法7②、令6①五、17②六、規5①

Q−21 非居住者へノウハウを提供する場合

判 定 事 例	判 定
非居住者へノウハウを提供する場合の対価は、輸出免税の対象になりますか？	なります

 補足説明　ノウハウ等は無形財産であり、国内の事業者が非居住者に対して譲渡又は貸し付ける場合には、輸出取引に該当し、輸出免税の対象となります。

参考：法7、令17②六、七

Q−22 本船扱いした貨物に係る役務の提供

判 定 事 例	判 定
輸入通関の方法として「本船扱い」（税関長の承認を受けることにより、外国貨物を保税地域に入れないで輸入通関することができる制度をいい、「ふ中扱い」というのも同様のものです。）の方法により、外国貨物の輸入の許可を受けた場合、次のような役務の提供は、課税になりますか？ ①　輸入の許可を受けた内国貨物に対する荷役、検数等の役務の提供	なります

補足説明　　輸入の許可を受けた内国貨物に対する荷役、検数等の役務の提供は指定保税地域、保税蔵置場、保税展示場及び総合保税地域（以下「指定保税地域等」といいます。）で行われるものに限って輸出免税の適用がありますので、その内国貨物に対する本船又ははしけ上でのこれらの役務の提供については、課税となります。

②　輸入の許可を受けた内国貨物の陸揚げ、保税地域への搬入

なります

③　輸入の許可を受けた内国貨物を指定保税地域等に搬入した後に行う保管、検数、鑑定等

なります

補足説明　　指定保税地域等において行われる役務の提供について輸出免税が適用されることとなる「輸入の許可を受けた貨物」とは、輸入申告の際に既に蔵置されていた指定保税地域等に引き続き置かれているものに限られていますから、「本船扱い」により輸入の許可を受けた内国貨物を指定保税地域等に搬入した後に行う保管、検数、鑑定等はたとえ指定保税地域等で行われるものであっても、課税になります。

参考：法7、令17②四、関税法67の2②、関税法施行令59の4

Q−23　指定保税地域における役務の提供に係る免税

判　定　事　例	判　定
関税法第40条第1項《貨物の取扱い》では、指定保税地域において外国貨物、輸入の許可を受けた貨物又は輸出しようとする貨物について行う改装、仕分けや見本の展示、簡単な加工などは、届出又は許可により行うことができることとされていますが、これらの行為を下請業者に行わせた場合、いずれも指定保税地域における外国貨物に対する役務の提供として免税規定が適用になりますか？	 **なりません**

補足説明　　消費税においては、指定保税地域等における荷役、保管、検数等輸出入業務に付随する簡易な業務のみが免税とされています。見本の展示、簡易な加工（食料品等の加熱、洗浄、選別、ワックスがけ等）その他これらに類する行為（輸出しようとする貨物の内容の破損部分の交換等）は、荷役、保管、検数等に類するものとは認められませんから、指定保税地域等で行っても課税になります。

参考：法7、令17②四

Q-24　非居住者に対する役務の提供で課税されるもの

判　定　事　例	判　定
外国人宿泊客が多いホテルにおいて、宿泊のほかにも種々のサービスを行っていますが、非居住者に対する役務の提供は、輸出免税の対象になりますか？	**なりません**

参考：法7、令17②七、基通7－2－16

Q-25　外国貨物に対する警備の取扱い

判　定　事　例	判　定
外国貨物に対する警備は、外国貨物に係る役務の提供として輸出免税の対象になりますか？	**なります**

参考：法7、令17②四、基通7－2－12

Q-26　書籍等の輸出の場合の輸出証明

判　定　事　例	判　定
書籍等を輸出する場合、輸出免税の対象になりますか？	**なります**

　補足説明

　書籍等を輸出した場合にも消費税の輸出免税の適用はありますが、その輸出証明の方法は次によります。

①　郵便物以外の場合……税関長の証明（輸出許可書）

②　郵便物で輸出価額の合計額が20万円超の場合……税関長の証明（郵便物輸出証明書）

③　郵便物で輸出価額の合計額が20万円以下の場合……下表に掲げる事項が記載された書類等

令和3年9月30日までの取引	令和3年10月1日以後の取引
①　次の事項を記載した「帳簿」 　ⓐ　輸出の年月日 　ⓑ　品名並びに品名ごとの数量及び価額 　ⓒ　受取人の氏名若しくは名称及び住所等 　　　　　　又は	①　小包郵便物又はEMS郵便物 　ⓐ　日本郵便株式会社から交付を受けた当該郵便物の引受けを証する書類 　　　　　　及び 　ⓑ　発送伝票等の控え（次の事項が記載されたもの）

② 郵便物の受取人から交付を受けた「物品受領書」その他の書類で次の事項が記載されたもの 　ⓐ 輸出した事業者の氏名又は名称及び住所等 　ⓑ 品名並びに品名ごとの数量及び価額 　ⓒ 受取人の氏名若しくは名称及び住所等 　ⓓ 郵便物受取の年月日	ⓑ 発送伝票等の控え（次の事項が記載されたもの） 　㋑ 輸出した事業者の氏名又は名称及び住所等 　㋺ 品名並びに品名ごとの数量及び価額 　㋩ 受取人の氏名又は名称及び住所等 　㋥ 日本郵便株式会社による引受けの年月日
	② 通常郵便物 　日本郵便株式会社から交付を受けた当該郵便物の引受けを証する書類（品名並びに品名ごとの数量及び価額を追記したもの）

参考：法７、規５①、基通７－２－23

Q－27　免税販売の対象となる者

判　定　事　例	判　　定
輸出物品販売場において、非居住者であって、国内以外の地域に引き続き２年以上住所又は居所を有する日本人に対して免税販売することはできますか？	 **できます**

 補足説明

　日本国籍を有する者に対して免税販売を行う場合は、その者が最後に入国した日から起算して６月前の日以後に作成された、その者に係る領事館の「在留証明」又は「戸籍の附票の写し」の提示を受けて、国内以外の地域に引き続き２年以上住所又は居所を有することの確認を行う必要があります。

参考：法８①、令18①③、規６①③

Q-28　免税販売の対象となる物品

判 定 事 例	判 定
輸出物品販売場において、次のものは免税販売の対象となる物品になりますか？ ①　5千円以上の一般物品（家電、バッグ、衣料品等《消耗品以外のもの》） ②　5千円以上50万円以下の消耗品（飲食料品、医薬品、化粧品その他の消耗品） ②　事業用又は販売用として購入されることが明らかな物品	◯ なります ◯ なります ✕ なりません

 補足説明　一般物品と消耗品のそれぞれの販売価額（税抜）が5千円未満であったとしても、その合計額が5千円以上であれば、一般物品を消耗品と同様の指定された方法により包装することで、免税販売することができます。
この場合、当該一般物品は消耗品として取り扱うこととなります。

参考：法8、令18

Q-29　「輸出しないとき」の範囲

判 定 事 例	判 定
次の場合は、消費税法第8条第3項に規定する「輸出しないとき」になりますか？ ①　免税購入対象者が輸出物品販売場で消耗品等を購入した後、その消耗品等を国内において生活の用に供した場合 ②　免税購入対象者が輸出物品販売場において、購入した免税物品を本邦から出国する際に所持していなかった場合	 ◯ なります ◯ なります

参考：法8①③、令18、基通8-1-5、8-1-5の2

Q－30 一般型輸出物品販売場の許可

判 定 事 例	判 定
電気製品の小売業者が外国人観光客の利用が多いことから、本店と別の市にある支店について、一般型輸出物品販売場の許可を受ける場合、販売場ごとに許可を受ける必要がありますか？	 **あります**

 補足説明

本店についての許可申請書と支店についての許可申請書をそれぞれ、本店を所轄する税務署長に提出して許可を受けることになります。

また、販売場ごとに「輸出物品販売場における購入記録情報の提供方法等の届出書」を提供する必要があります。

参考：法8⑦、令18の2②一、規6の2①、基通8－2－1(1)、様式通達第20－(1)号様式、第20－(4)号様式

Q－31 手続委託型輸出物品販売場の許可

判 定 事 例	判 定
免税販売手続を代理する事業者（承認免税手続事業者）が設置する免税カウンターがあるテナントビル内において、小売店舗が、手続委託型輸出物品販売場の許可を受ける場合、小売店舗（販売場）ごとに許可を受ける必要がありますか？	 **あります**

参考：法8⑦、令18の2②二、規6の2①、基通8－2－1(2)、様式通達第20－(2)号様式、第20－(4)号様式

Q－32 自動販売機型輸出物品販売場制度の概要

判 定 事 例	判 定
事業者が一の自動販売機のみを設置する販売場について、「自動販売機型輸出物品販売場」として許可を受けるために必要な要件はありますか？	 **あります**

 補足説明

次の要件の全てを満たす必要があります。
① 次のイ及びロの要件を満たす事業者（消費税の課税事業者に限ります。）が経営する販売場であること。
　イ 現に国税の滞納（その滞納の徴収が著しく困難なものに限ります。）がないこと。
　ロ 輸出物品販売場の許可を取り消され、その取消しの日から3年を経過しない者でないことその他輸出物品販売場を経営する事業者として特に不適当と認められる事情がないこと。

② 現に免税購入対象者が利用する場所又は免税購入対象者の利用が見込まれる場所に所在する販売場であること。
③ 一の指定自動販売機（注）のみを設置する販売場であること。
（注） 指定自動販売機とは、免税販売手続を行うことができる機能を有する自動販売機として財務大臣が定める基準を満たすもの（国税庁長官が観光庁長官と協議して指定するものに限ります。）をいいます。

参考：法8⑦、令18の2②三、基通8－2－1⑶

Q－33 輸出物品販売場を移転する場合の手続

判 定 事 例	判 定

複数の店舗において輸出物品販売場の許可を受けている会社が、本店事務所を移転することになった場合、新たに許可を受ける必要がありますか？

✕
ありません

補足説明

輸出物品販売場の許可を受けている店舗はそのままで、本店事務所のみを移転する場合は、輸出物品販売場の許可に関する手続は必要ありません。

ただし、輸出物品販売場を移転する場合には、移転前の販売場についての許可の効力は移転後の販売場に及ばないため、移転前の輸出物品販売場について「輸出物品販売場廃止届出書」を提出するとともに、移転後の販売場について新たに輸出物品販売場の許可を受ける必要があります。

また、移転前の販売場についての「輸出物品販売場における購入記録情報の提供方法等の届出書」の効力も移転後の販売場に及ばないため、移転後の販売場について新たに「輸出物品販売場における購入記録情報の提供方法等の届出書」を納税地の所轄税務署長に提出する必要があります。

参考：令18、18の2①～③⑰、規6の2①、10①③④、10の3①、基通8－2－2、様式通達第20－⑷号様式、第20－⑹号様式、第21－⑴号様式

Q－34 輸出物品販売場の許可を受けている法人が合併された場合の手続

判 定 事 例	判 定

電気製品の小売業を営む事業者が、一般型輸出物品販売場及び手続委託型輸出物品販売場の許可を受けている法人を吸収合併することになり、販売場店舗を引き続き使用する場合、新たな許可が必要ですか？

◯
必要です

補足説明

被合併法人の輸出物品販売場の許可の効力は、合併法人に引き継がれません。

参考：法8⑦、令18⑦、18の2①⑰、規6の2①、様式通達第20号－⑴様式、第20号－⑵様式、第21号－⑴様式

Q-35 免税販売における旅券等の提示

判 定 事 例	判 定
外国人の利用が多いため輸出物品販売場の許可を受けている物品販売業において、免税により販売する場合は、旅券の提示を受け、上陸許可証印の記載事項により、免税購入対象者であることを確認する必要があると聞きましたが、旅券の提示がなければ、免税販売できないですか？	 ①旅券（上陸許可印のあるもの）、②船舶観光上陸許可書、③乗員上陸許可書、④緊急上陸許可書、⑤遭難による上陸許可書のいずれかの書類の提供を受け、その旅券等に記載された情報の提示を受けることが条件とされています

 補足説明

　免税購入対象者に対し免税で物品を販売するためには、次に掲げる旅券等のいずれかの書類の提示を受けることが条件とされています。
　1　旅券（上陸許可印のあるもの）
　2　旅券に係る情報が記録されたVisit Japan Webの二次元コード
　3　船舶観光上陸許可書
　4　乗員上陸許可書
　5　緊急上陸許可書
　6　遭難による上陸許可書

　また、日本国籍を有する免税購入対象者に対して免税販売する場合は、「在留証明」又は「戸籍の附票の写し」（以下「証明書類」といいます。）の提示を受けた後、証明書類に記載された情報の提供又は証明書類の写しの提出を受けることが条件とされています。

　したがって、上記のいずれの提示もない場合は、たとえ、相手方が免税購入者であることが明らかであっても、免税により販売することはできません。

参考：法8①、令18

第6章 小規模免除

Q−1 ● 特定期間の判定における給与等支払額に含まれる範囲

判 定 事 例	判 定
次の事項は、特定期間の判定上用いることのできる給与等支払額に含まれますか？	
① 特定期間中に支払った所得税の課税対象とされる給与、賞与等	含まれます
② 未払の給与、賞与等	含まれません
③ 退職手当や、所得税が非課税となる通勤手当や旅費等	含まれません
④ 使用者が使用人等に対して無償又は低額の賃貸料で社宅や寮等を貸与することにより供与される経済的利益のうち、給与所得とされた経済的利益の額	含まれます

参考：法9の2③、規11の2、基通1−5−23

Q－2 ● 特定期間の判定と「消費税の納税義務者でなくなった旨の届出書」

判 定 事 例	判 定
課税事業者のその年（又は事業年度）における課税売上高が1,000万円以下となった場合は、「消費税の納税義務者でなくなった旨の届出書」を速やかに提出することとなっていますが、特定期間における課税売上高の金額によっては、当該届出書に記載した「この届出の適用開始課税期間」の納税義務は免除されないことになります。 　このような場合、当該届出書は、特定期間の課税売上高（又は給与等支払額）による判定を行った後で提出してもいいですか？	 速やかに提出する 必要があります

参考：法57①

Q－3 ● 人格のない社団が公益法人となった場合の納税義務

判 定 事 例	判 定
人格のない社団として法人税の申告を行ってきた団体が、経営実態はまったく変わらず1年前に一般社団法人となったような場合、基準期間の課税売上高は、経営実態を考慮して人格のない社団当時にさかのぼって判定しますか？	 しません

参考：法9①、9の2、12の2①、基通1－4－6

Q－4 ● 人格のない社団がNPO法人となった場合の納税義務

判 定 事 例	判 定
人格のない社団が特定非営利活動法人（NPO法人）となった場合、このNPO法人の設立第1期の納税義務は免除されますか？	 免除されます

参考：法9①、9の2、12の2①、基通1－4－6

Q-5 免税事業者の判定に係る課税売上高の範囲

判 定 事 例	判 定

　免税事業者に該当するかどうかの判定をする場合の基準期間における課税売上高には、課税資産の譲渡等に係る次のものは含まれますか？

① 　みなし譲渡の売上高

含めます

② 　事業用固定資産の売却代金

含めます

③ 　消費税・地方消費税の額

×

含まれません

④ 　他の個別消費税の額

含めます

補足説明　　ただし、軽油引取税、ゴルフ場利用税及び入湯税は、利用者が納税義務者となっていることから、課税売上高には含まれません。

⑤ 　返品、値引、割戻しをした金額

含めます

参考：法4⑤、9②、9の2、28①②、基通1-4-2、10-1-11

Q－6 基準期間が免税事業者であった場合の課税売上高

判 定 事 例	判 定
消費税導入以来免税事業者であり、消費税の申告・納付をしていなかった者が、令和4年分の売上高は1,080万円となり、令和4年分の基準期間である令和元年分の課税売上高が1,000万円以下であったため免税事業者に該当したような場合、令和6年分は課税事業者になりますか？	 ○ **なります**

 補足説明

　その課税期間の基準期間において免税事業者であるときは、当該基準期間における課税資産の譲渡等については、消費税を納める義務が免除されますから、課税資産の譲渡等に伴って収受し、又は収受すべき金銭等のうちには、課税資産の譲渡等につき課されるべき消費税及び地方消費税に相当する額は含まれていません。

　そのため、その課税期間の基準期間において免税事業者であるときの基準期間における課税売上高は、課税資産の譲渡等に伴って収受し、又は収受すべき金銭等の全額となります。

　令和6年分については、その基準期間である令和4年自体が免税事業者であったため、基準期間における課税売上高は1,080万円で1,000万円を超えることとなりますので、課税事業者に該当することとなります。

参考：法2①十四、9②一、9の2、基通1－4－5

Q－7 前々年の中途で開業した個人事業者

判 定 事 例	判 定
前々年の中途で事業を開始した個人事業者の「基準期間の課税売上高」は、1年分に換算する必要がありますか？	 × **ありません**

参考：法2①十四、9②一、9の2、基通1－4－9

Q-8 ● 基準期間が１年未満の法人の課税売上高

判 定 事 例	判 定
前々事業年度に設立した法人で当課税期間の基準期間（つまり前々事業年度）が４か月間しかない場合、当課税期間が課税事業者に該当するかどうかを判断する際の基準期間における課税売上高が1,000万円を超えるかどうかの判定は、４か月間の課税売上高を１年分に換算する必要がありますか？	○ あります

参考：法９、９の２

Q-9 ● 基準期間における課税売上高の判定単位

判 定 事 例	判 定
食料品の小売業と駐車場業を営む者の令和４年分の課税売上高が、食料品の小売業に係るものが約800万円で、駐車場業に係るものが約700万円であった場合、それぞれの事業に係る基準期間の課税売上高は1,000万円以下になりますから、令和５年は免税事業者になりますか？	× なりません

補足説明　基準期間における課税売上高は、事業者単位で判定することになりますので、一の事業者が異なる種類の事業を行う場合又は２以上の事業所を有している場合であっても、それらの事業又は事業所における課税資産の譲渡等の対価の額の合計額（税抜き）により基準期間における課税売上高を算定することになります。

参考：法９①②、９の２、基通１－４－４

Q-10 ● 輸出免税取引がある場合の基準期間の課税売上高

判 定 事 例	判 定
輸出取引を頻繁に行っている会社において、基準期間における売上高は、輸出免税となったものが１億円で、国内向け販売に係る課税売上高が1,000万円あったような場合、基準期間の課税売上高を国内向け販売の課税売上高1,000万円で判定し、1,000万円以下であるとして納税義務がないことになりますか？	× なりません

補足説明

　基準期間の売上高の中に消費税の輸出免税の対象となるものがあったとしても、それが国内において行った課税資産（ただし、ゼロ税率）の譲渡等の対価であることには変わりがないわけですから、輸出免税売上高も「課税売上高」に含まれることになります。

　輸出免税分を含めると基準期間における課税売上高は、１億1,000万円となり、1,000万円を超えていますので、当課税期間については課税事業者となります。　　参考：法２①九、７①、９①②、９の２、28①、基通１－４－２

第7章 小規模免除の特例

Q-1 課税事業者となるための届出

判 定 事 例	判 定
基準期間における課税売上高が1,000万円以下の事業者が、課税事業者となることはできますか？	◯ できます

 補足説明

基準期間における課税売上高が1,000万円以下の事業者（個人事業者のその年又は法人のその事業年度にあっては、併せて、特定期間における課税売上高又は給与等支払額が1,000万円以下の事業者）（適格請求書発行事業者を除く。）であっても、納税地の所轄税務署長に対して「消費税課税事業者選択届出書」を提出することにより、消費税の課税事業者となることができます。

参考：法9④、9の2、令20、基通1-4-1、1-4-14、様式通達第1号様式

Q-2 新たに法人を設立した場合の課税事業者の選択

判 定 事 例	判 定
令和6年6月11日に資本金500万円、3月決算で設立した株式会社が、輸出取引を主として行うため、設立初年度より課税事業者の選択を行うことができますか？	◯ できます

 補足説明

設立課税期間に課税事業者選択届出書を納税地所轄税務署長に提出すれば、設立当初より課税事業者となります。

参考：法9④、12の2①、令20、様式通達第1号様式

Q-3 ● 課税事業者の選択の取りやめ

判 定 事 例	判 定
課税事業者を選択していた事業者が、課税事業者の選択を取りやめることができますか？	○ できます

補足説明　納税地の所轄税務署長に対して「消費税課税事業者選択不適用届出書」（不適用届出書）を提出すれば、課税事業者の選択を取りやめることができます。

参考：法9⑤〜⑦、様式通達第2号様式

Q-4 ● 相続があった場合の納税義務の免除の特例

判 定 事 例	判 定
課税売上高が毎年1,000万円以下の免税事業者である貸家（事務所用）収入のあるサラリーマンが、令和6年4月に、相続により基準期間における課税売上高が約2,000万円の食料品小売業を承継した場合、免税事業者になりますか？	× なりません

補足説明　その年に相続があった場合において、その年の基準期間における課税売上高が1,000万円以下である相続人が、その基準期間における課税売上高が1,000万円を超える被相続人の事業を承継したときは、その相続人の相続があった日の翌日からその年の12月31日までの間における課税資産の譲渡等については、納税義務は免除されません。参考：法10①、基通1−5−1、1−5−4

Q-5 ● 前年又は前々年に相続があった場合の納税義務の免除の特例

判 定 事 例	判 定
令和4年分の課税売上高が1,000万円以下の食料品小売業が、令和5年2月に相続により雑貨品小売業を承継した場合、令和6年分は免税事業者になりますか？	× 課税売上高の合計額により課税事業者になります

補足説明　その年の前年又は前々年において、相続により被相続人の事業を承継した相続人のその年の基準期間における課税売上高が1,000万円以下である場合において、その相続人のその基準期間における課税売上高と被相続人のその基準期間における課税売上高との合計額が1,000万円を超えるときには、相続人のその年における消費税の納税義務は免除されません。

参考：法9①、9の2、10②、基通1−5−1、1−5−4

Q−6 ● 合併があった事業年度の納税義務の免除の特例

判 定 事 例	判 定
基準期間における課税売上高が1,000万円以下であるため、免税事業者となる課税期間中に年商約5,000万円の会社を吸収合併した場合、合併後も引き続き当課税期間は免税事業者になりますか？	**なりません**

 補足説明　事業年度の中途で他の法人を合併により吸収した場合、その合併事業年度の基準期間における課税売上高が1,000万円以下であっても、吸収した各被合併法人の合併があった日の属する事業年度の基準期間に対応する期間における課税売上高のいずれかが1,000万円を超えているときは、合併法人の合併があった日から合併があった日の属する事業年度終了の日までの間における課税資産の譲渡等については、消費税の納税義務は免除されません。

参考：法9、11①、基通1−5−6

Q−7 ● 「新設法人」における納税義務の免除の特例

判 定 事 例	判 定
令和6年6月25日に新規開業した資本金1,000万円の法人の場合、少なくとも1期目と2期目は基準期間自体が存在しないため、納税義務は免除されますか？	**免除されません**

 補足説明　基準期間のない事業年度であっても、その開始の日における資本金の額又は出資の金額が1,000万円以上の法人（社会福祉法人を除きます。）については、納税義務は免除されません。

参考：法9①④、12の2①、基通1−4−6

Q－8 ● 設立2期目に「新設法人」に該当する場合の納税義務の免除の特例

判 定 事 例	判 定

令和6年6月25日に資本金300万円で新たに設立した株式会社（消費税法第12条の3第1項《特定新規設立法人の納税義務の免除の特例》の適用はありません。）は、資本金が1,000万円未満であるため、消費税法第12条の2第1項《新設法人の納税義務の免除の特例》の「新設法人」には該当せず、設立1期目と2期目は納税義務が免除されることとなりますが、例えば、1期目の中途で資本金を1,000万円に増資した場合は、2期目の納税義務は免除されますか？

×
免除されません

補足説明

1期目の中途で資本金を1,000万円に増資した場合の2期目は消費税の納税義務が免除されない「新設法人」（基準期間がない法人（社会福祉法人を除きます。）のうち、その事業年度開始の日における資本金の額又は出資の金額が1,000万円以上である法人）に該当し、消費税の納税義務は免除されないこととなります。

参考：法12の2①、基通1－5－15

Q－9 ● 「新設法人」の範囲

判 定 事 例	判 定

消費税法第12条の2第1項《新設法人の納税義務の免除の特例》の規定により、設立当初の2年間について納税義務が免除されないこととなる資本金の額又は出資の金額が1,000万円以上である法人とは、法人税法第2条第9号《定義》に規定する普通法人のみが対象になりますか？

×
なりません

補足説明

株式会社等の普通法人に限らず、農業協同組合や公益法人のうち出資を受け入れることとしているもの、また、地方公営企業等も出資の金額が1,000万円以上であれば、消費税法第12条の2第1項《新設法人の納税義務の免除の特例》の規定の適用の対象となります。

ただし、社会福祉法人は、通常非課税資産の譲渡等のみを行っていることから、出資を受け入れることとなっている場合であっても、同条の規定の適用はしないこととされています。

参考：法12の2①、令25①、基通1－5－16

Q-10 外国法人である「新設法人」

判 定 事 例	判 定

消費税法第12条の2第1項《新設法人の納税義務の免除の特例》の規定は、国外に本店又は主たる事務所を有する法人（外国法人）について適用されますか？

適用されます

参考：法12の2①、法基通20−5−36

Q-11 「新設法人」に該当する場合の届出

判 定 事 例	判 定

令和5年6月25日に設立の4月末決算法人が資本金1,000万円であるため消費税法第12条の2の新設法人に該当し1期目及び2期目は課税事業者となる場合、何か届出の必要はありますか？

あります

 補足説明　消費税法第12条の2第1項に規定する「新設法人」に該当することとなった事業者は、「消費税の新設法人に該当する旨の届出書」を速やかに納税地を所轄する税務署長に提出することになります。

参考：法9①、9の2、57①一、②、規26⑤、基通1−5−18、1−5−20、第10−(2)号様式

Q-12 「新設法人」と簡易課税制度の適用

判 定 事 例	判 定

令和6年6月25日に設立した資本金1,000万円、4月末決算の株式会社は、消費税法第12条の2第1項の新設法人に該当しますので、1期目から納税義務が発生しますが、1期目及び2期目について仕入控除税額の計算に当たり、簡易課税制度を適用することができますか？

できます

 補足説明　令和7年4月30日までに「消費税簡易課税制度選択届出書」を提出すれば、1期目から簡易課税制度を適用することができます。

参考：法9①、12の2①、37、令56①一、基通1−5−19、様式通達第24号様式

第8章 資産の譲渡等の時期

Q−1 ● 資産の譲渡等を行った時の意義

判 定 事 例	判 定
「資産の譲渡等を行った時」とは、資産の引渡しの日をいいますか？	✕ 資産の引渡しの日とは限りません

 補足説明

「資産の譲渡等を行った時」とは、原則として次に掲げる資産の譲渡等に応じ、それぞれ次に掲げる日をいいます。

① 棚卸資産の譲渡……引渡しの日
② 委託販売による資産の譲渡……受託者が委託品を譲渡した日
③ 目的物の引渡しを要する請負……目的物の引渡しの日
④ 目的物の引渡しを要しない請負……役務の提供を完了した日
⑤ 固定資産の譲渡……引渡しの日
⑥ 賃貸借契約に基づく資産の貸付け……契約又は慣習により賃貸料の支払いを受けるべき日

参考：基通9−1−1、9−1−3、9−1−5、9−1−13、9−1−20

Q−2 ● 長期の手形で受け取る場合のキャッシュベース処理

判 定 事 例	判 定
大規模なビル建設工事の請負代金を長期の手形で受け取る場合は、キャッシュベースで処理してもよいですか？	✕ 引渡し基準若しくは延払基準によります

 補足説明

請負の目的物である建物を引き渡した日が、納税義務の成立の時期となります。ビル工事を延払条件付きで請け負った場合において、所得税法又は法人税法上の延払基準の方法等により経理することとしているときは、賦払金の支払期日の属する課税期間に当該賦払金に係る課税資産の譲渡等を行ったものとすることができる特例が設けられています。

参考：法16、基通9−1−5、9−3−1

Q-3 委託販売による資産の譲渡の時期

判 定 事 例	判 定
製造した製品の一部について、販売を販売会社に委託している場合、資産の譲渡の時期は、販売会社が委託品を譲渡した日になりますか？	**なります**

 補足説明

棚卸資産の委託販売に係る委託者における資産の譲渡の時期は、その委託品について受託者が譲渡した日とされています。

ただし、その委託品についての売上計算書が売上げの都度作成されている場合において、委託者が継続して売上計算書の到着日を棚卸資産の譲渡をした日としているときは、その日を資産の譲渡の日として取り扱っても差し支えありません。

参考：基通9－1－3

Q-4 船荷証券等と資産の譲渡時期

判 定 事 例	判 定
船荷証券の譲渡は、有価証券の譲渡として消費税が非課税になりますか？	**なりません**
その譲渡の時期は、通常の有価証券の譲渡の時期と同様に考えてよいでしょうか？	**通常の有価証券の譲渡の時期と同様です**

参考：基通6－2－2、9－1－4

Q−5　所有権移転外ファイナンス・リース取引の場合の資産の譲渡等の時期

判　定　事　例	判　定
リース取引（所有権移転外ファイナンス・リース取引）におけるリース料の支払方法は、均等払、不均等払などの様々な形態がありますが、消費税法上の取扱いに違いはありますか？	 **ありません**

　補足説明　　原則として、リース資産の引渡しの時に当該リース資産の売買があったものとなりリース料総額が課税売上げとなります。

なお、延払基準により経理する場合等については、資産の譲渡等の時期の特例の適用が認められます。

参考：法16①②、令32の2①②、法法63①②

Q−6　部分完成基準で処理する場合の課税の時期

判　定　事　例	判　定
所得税や法人税において、部分完成基準で工事収入を計上することとしている場合は、消費税においてもその計上ベースで課税されることになりますか？	 **なります**

　補足説明　　所得税や法人税において部分完成基準で収益を計上する場合、すなわち、完成した部分の引渡しを行い、その都度完成割合に応じて工事代金を収入する旨の特約又は慣習があるなどの場合には、その引き渡した時に引き渡した部分について資産の譲渡等が行われたこととなりますから、消費税においてもその引き渡した時が課税時期とされます。

なお、長期大規模工事の請負の場合で、所得税や法人税において、工事進行基準の方法によっているときは、部分的な引渡しを伴わない場合であっても、工事進行基準により資産の譲渡等を行ったものとすることができます。

参考：法17①②、基通9−1−8、所法66①、法法64①、所令192①②、法令129①②

Q-7 ● 賃借人における所有権移転外ファイナンス・リース取引の消費税法上の取扱い

判 定 事 例	判 定
リース取引（所有権移転外ファイナンス・リース取引）に係る賃借人の消費税法上の取扱いについて、賃借人が賃貸借処理（通常の賃貸借取引に係る方法に準じた会計処理をいいます。）を行っている場合、そのリース料について、支払うべき日の属する課税期間における課税仕入れとすることはできますか？	○ **できます**

**補足説明** 賃借人が賃貸借処理を行っている場合、そのリース料について、支払うべき日の属する課税期間における課税仕入れとする処理（以下「分割控除」といいます。）を行っても差し支えないとされています。これは、消費税の仕入税額控除について、事業者の経理実務を考慮し、その時期について、これまでに認められている各種の特例（例えば未成工事支出金の取扱い等）と同様に認められています。

参考：法30①、基通5－1－9⑴、11－3－2㊟、所法67の2、所令120の2②五、法法64の2、法令48の2⑤五

Q-8 ● 所有権移転外ファイナンス・リース取引について賃借人が分割控除している場合の残存リース料の取扱い

判 定 事 例	判 定
リース取引（所有権移転外ファイナンス・リース取引）について、賃貸借処理を行い、分割控除により仕入税額控除を行っていますが、次の理由でリース契約を解約した場合、残存リース料は課税仕入れ等になりますか？	
① 賃借人の倒産、リース料の支払遅延等の契約違反があったとき	○ **なります**
② リース物件が滅失・毀損し、修復不能となったとき	○ **なります**

138

③ リース物件の陳腐化のための借換えなどにより、賃貸人と賃借人との合意に基づき解約するとき

なります

補足説明

リース取引について賃貸借処理を行い、リース料を支払うべき日の属する課税期間に分割して、仕入税額控除の計算を行っていることから、①から③によって支払う残存リース料は、いずれの場合も課税仕入れ等となります。

Q-9 ● リース会計基準に基づき会計処理を行う場合の資産の譲渡等の時期の特例の適用

判 定 事 例	判 定
賃貸人がリース会計基準に基づき会計処理を行った場合、資産の譲渡等の時期の特例の適用がありますか？	**あります**

補足説明

賃貸人がリース会計基準に基づき会計処理を行った場合、法人税法上の取扱いにおいて、延払基準の方法により経理したものとして、リース譲渡に係る資産の譲渡等の時期の特例の適用を受けることができます。

したがって、法人税法上の取扱いにおいて、延払基準の方法により経理したものとしてリース譲渡に係る資産の譲渡等の時期の特例の適用を受けている場合には、消費税法上においても、リース譲渡に係る資産の譲渡等の時期の特例を適用することができます。

参考：法16

Q-10 ● 所有権移転外ファイナンス・リース取引における転リース取引の取扱い

判 定 事 例	判 定
転リース会社が所有権移転外ファイナンス・リース取引により賃借した資産を、他の事業者に所有権移転外ファイナンス・リース取引として賃貸する「転リース取引」とする場合、転リース会社においては、リース会計基準上、賃貸人として受け取るリース料総額と賃借人として支払うリース料総額の差額を手数料収入として各期に配分し、転リース料差益等の名称で損益計算書に計上することとされていますが、この転リース料差益等自体が課税の対象になりますか？	**あくまでリース料総額が課税の対象となります**

　転リース会社は、①賃借人として、元受会社からのリース資産を譲り受ける取引と、②賃貸人として、エンドユーザーに対して同一リース資産を譲渡する２つの取引として、処理することになります。

　このため、会計処理上、賃貸人として受け取るリース料総額と賃借人として支払うリース料総額の差額を手数料収入として処理しても、原則として、転リース会社はリース資産の引渡しの時に、賃貸人として受け取るリース料総額を一括して資産の譲渡等の対価に加算し、賃借人として支払うリース料総額を一括して課税仕入れに係る支払対価の額に加算することになります。

　なお、上記リース資産の譲渡の対価は、会計処理上において手数料取引として処理されますが、法人税法上において延払基準の方法による経理処理が行われたと認められた場合には、消費税法上においても、リース譲渡に係る資産の譲渡等の時期の特例を適用することができます。

参考：法２①八、十二、16、28、30

Q−11 ● ロイヤリティ収入に係る資産の譲渡等の時期

判　定　事　例	判　定
フランチャイズチェーンを主催する事業者が傘下の事業者から得るロイヤリティ収入等は、使用料の額が確定した時点で課税されますか？	 **課税されます**

　原則として、工業所有権等又はノウハウの使用料を対価とする資産の譲渡等の課税時期であるその使用料の額が確定した日に課税されることになります。

　ただし、継続して契約によりそのロイヤリティの支払を受けるべき日を資産の譲渡等の時期として経理しているときは、その支払を受けるべき日に資産の譲渡等が行われたものとして取り扱っても差し支えありません。

参考：基通９−１−21

Q−12 ● 先物取引に係る資産の譲渡等の時期

判　定　事　例	判　定
商品取引所における先物取引を行った場合、一定の期日までに反対売買をすることにより差金の授受によって決済したときは、その先物取引は、課税の対象となる資産の譲渡等には該当しませんか？	 **該当しません**

　反対売買をすることにより差金の授受によって決済したときは、その先物取引は資産の引渡しを伴わない取引となりますから、消費税の課税の対象となる資産の譲渡等には該当しないこととなります。　参考：基通９−１−24

Q-13 設立準備期間中の課税関係

判 定 事 例	判 定
会社を設立登記するまでの2か月間に行った事務所の開設や事務機、備品等の購入など、会社名義で行った設立準備期間の取引（ほとんどが課税仕入れ）は、設立第1期の課税期間の取引として申告をすることができますか？	 できます

 補足説明　　新たに設立した法人で設立第1期から申告する場合は、その課税期間の基準期間がありませんので、消費税法第12条の2第1項に規定する「新設法人」に該当する場合を除き課税事業者の選択の手続が必要です。

参考：法12の2①、基通3-2-1、9-6-1

Q-14 前受金、仮受金

判 定 事 例	判 定
現実に資産の譲渡等が行われている場合であっても、経理上前受金、仮受金、預り金のままで、いまだ売上処理していないものは、消費税は課税されませんか？	 現実に資産の譲渡等があった時点で課税されます

参考：基通9-1-27

Q-15 消化仕入れの場合の資産の譲渡の時期

判 定 事 例	判 定
相手先が消化仕入れの方法により売上げ、仕入れを計上している場合、当方の資産の譲渡の時期は相手先に引き渡した日になりますか？	 なりません

 補足説明　　小売業者が消費者にそれを販売した日をもって卸売業者から小売業者に対する資産の譲渡があったものとして取り扱うこととなります。すなわち、卸売業者と小売業者は同時期に課税資産の譲渡を行ったことになります。

参考：基通9-1-1

Q-16 対価未確定の販売に係る資産の譲渡等の時期

判 定 事 例	判 定
資産の譲渡等に係る対価の額が課税期間の末日までに確定しない場合、仮価格があるときは、その仮価格で消費税の申告ができますか？	 **できます**

 補足説明

　資産の譲渡等の対価の額がその資産の譲渡等を行った日の属する課税期間の末日までに確定していないときには、仮価格がある場合はこれにより、仮価格がない場合は適正に見積もった金額により消費税の確定申告を行うこととなります。

　確定申告後にその対価の額が確定したときは、確定した課税期間において仮価格又は見積価格との差額を精算（加算又は減算）することとなります。

参考：基通9−1−1、10−1−20

Q-17 リース譲渡に係る特例の適用関係

判 定 事 例	判 定
所得税法及び法人税法上リース譲渡と認められない売上げは、消費税法上、原則的な課税方法となりますか？	 **なります**

 補足説明

　リース譲渡については、それぞれ所得税法又は法人税法上のこれらの特例の適用を受けるときに限って、消費税法上もこれらの特例を適用して資産の譲渡等の時期を判定することができることとされていますから、資産の譲渡等が所得税法又は法人税法に規定するリース譲渡に該当しない場合又は該当する場合でも当初から実際に延払基準で経理しない場合には、原則どおり、その引渡しの日等において消費税が課税されることとなります。

参考：法16①、基通9−3−1、所法65、法法63

Q-18 延払基準により経理しなかった場合の処理

判 定 事 例	判 定
所得税又は法人税において延払基準の方法により売上金額を計算する場合、消費税においても各課税期間において延払基準の方法により経理処理をする必要がありますか？	 **任意です**

補足説明　所得税又は法人税において延払基準の方法により経理することとしている場合であっても、消費税において延払基準を適用するかどうかは任意となっています。

経理しなかった場合は、その課税期間における資産の譲渡等の対価の額の合計額に加算してもよいですか？

資産の譲渡等の対価の額の合計額に加算します

補足説明　資産の譲渡等につき延払基準の方法により経理していた事業者が、ある年又は事業年度において、延払基準の方法により経理しないこととした場合には、これらの売上金額については、既に申告済みの部分を除き、その経理しないこととした年の12月31日又は事業年度終了の日の属する課税期間において資産の譲渡等の対価の額の合計額に加算することとなります。

参考：法16①、令32①、基通9－3－1

Q－19　仕入税額控除の時期

判　定　事　例	判　定
「仕入税額控除」は、課税仕入れを行った時点でできますか？	できます

補足説明　仕入税額控除は、仕入れた商品等の売上先がいつ売上に計上したかどうかにかかわらず、課税仕入れを行った日又は課税貨物を保税地域から引き取った日の属する課税期間において行うことができます。

参考：法30①、基通11－3－1

Q－20　建設仮勘定の税額控除の時期

判　定　事　例	判　定
事業者が、建設工事等に係る目的物の完成前に行った当該建設工事等のための課税仕入れ等の金額について、建設仮勘定として経理した場合、当該課税仕入れ等については、その課税仕入れ等をした日の属する課税期間において仕入税額控除を行うことができますか？	できます

補足説明　課税仕入れ等については、その課税仕入れ等をした日の属する課税期間において仕入税額控除を行うこととなります。

ただし、建設仮勘定として経理した課税仕入等につき、当該目的物の完成した日の属する課税期間における課税仕入等として仕入税額控除を行うことも認められています。

参考：法30、基通11－3－6

Q－21 販売側、仕入側で計上時期が異なる場合

判 定 事 例	判 定
商品の売買等について、検収基準により仕入れに計上し、相手方は出荷基準を採っている場合、相手方の売上計上の時期と当方の仕入税額控除の時期が異なることとなりますがよいですか？	差し支えありません

補足説明　自己の採用している合理的な基準（検収基準）を仕入税額控除の時期として仕入れに係る消費税額を計算して差し支えありません。

参考：基通11－3－1

Q－22 現金主義会計適用者の課税仕入れの時期

判 定 事 例	判 定
所得税法第67条の規定の適用を受け、収入及び支出の計上を現金主義によっている個人事業者が、消費税における課税資産の譲渡等の時期についても同様に現金主義によって判断し、課税仕入れに係る消費税額の計算を、課税期間中の支払分についてのみ対象とすることができますか？	できます

補足説明　消費税法では、所得税法第67条の規定の適用を受けていることを条件に、課税資産の譲渡等の時期を、実際に譲渡のあった日としないで、現金主義により収入した日及び支出した日とすることができることとしています。

したがって、上記判定事例の場合は、課税仕入れに係る消費税額の計算を、課税期間中の支払分だけを対象に行うことができます。

参考：法18、基通9－5－1、所法67

第9章 課税標準

Q−1 先物取引の現引き、現渡しに係る課税標準等

判 定 事 例	判 定
商品先物取引において現物の受渡しを行った場合、消費税の課税標準及び課税仕入れの額は、約定代金をもとに計算すればよいですか？	 約定代金に受渡代金に係る消費税相当額を加えたものを基に計算します

補足説明

　商品先物取引において現物の受渡しを行った場合には、売手（現渡しを行う者）の売約定に係る約定代金（約定値段（単価）に数量を乗じて算出した金額）及び買手（現引きをする者）の買約定に係る約定代金は、消費税抜きの金額とされていることから、売手が収受すべき金額又は買手が支払うべき金額は、約定代金のほかに、受渡代金（納会日の最終帳入値段（単価）を受渡値段（単価）として、これに数量を乗じて算出した金額）に消費税率を乗じて算出される金額が消費税相当額として、取引所を介して授受されています。

　したがって、売手の消費税の課税標準は、次のとおりとなります。

$$\begin{pmatrix} 消費税の \\ 課税標準 \end{pmatrix} = \left(\begin{matrix} 約定代金 \\ （税抜） \end{matrix} + \begin{matrix} 受渡代金を課税標準として \\ 算出される消費税相当額 \end{matrix} \right) \times \frac{100}{110}$$

　また、買手の課税仕入れに係る支払対価の額は、次のとおりとなります。

$$支払対価の額 = \begin{matrix} 約定代金 \\ （税抜） \end{matrix} + \begin{matrix} 受渡代金を課税標準として \\ 算出される消費税相当額 \end{matrix}$$

　なお、商品先物取引の特殊性に鑑み、継続して「約定代金」に代えて「受渡代金」に基づき、消費税の課税標準又は支払対価の額の計算を行う場合（上記の算式において、「約定代金」を「受渡代金」とする場合）には、これによって差し支えありません。

（注）　商品先物取引においては、差金授受による決済があるため、受渡しにあたり売手の「約定代金」と買手の「約定代金」は一致しない場合があります。

参考：法28①、30①、基通9−1−24

Q-2 源泉所得税がある場合の課税標準

判 定 事 例	判 定
役務の提供の対価として所得税の源泉徴収をされた後の金額を受領する場合、その役務の提供の対価に係る消費税額の計算は、実際に受領した金額が課税資産の譲渡等の対価の額になりますか？	なりません

 補足説明

　消費税の課税標準は、実際に受領した金額ではなく、源泉徴収される前の金額となります。
参考：法28①、基通10−1−13、平元.1.30直法6−1「消費税法等の施行に伴う源泉所得税の取扱いについて」（法令解釈通達）

Q-3 代物弁済

判 定 事 例	判 定
代物弁済による資産の譲渡は、消費税法上も資産の譲渡等に含まれますか？	含まれます

参考：法2①八、令45②一、③

Q-4 安値販売の場合の課税標準

判 定 事 例	判 定
事業者が通常より安い値段で他に販売した場合、実際に販売したその安い値段が消費税の課税標準になりますか？	なります

 補足説明

　通常より安値で販売した場合であっても、その譲渡した対価の額そのものが消費税の課税標準となります。
　例外として、法人が資産をその役員に対して著しく低い対価の額で譲渡した場合には、その資産の通常の価額に相当する金額（時価）を課税標準として消費税を課税することとされています。
　なお、この場合の著しく低い対価の額とは、法人のその役員に対する資産の譲渡等の対価の額が、その譲渡の時における通常他に販売する価額のおおむね50％に相当する金額に満たない場合をいうものとされています。

参考：法28①、基通10−1−1、10−1−2

Q-5 ● 家事消費をした場合の消費税

判 定 事 例	判 定

個人事業者が、棚卸資産等の事業用資産を家事のために消費又は使用し、次のように処理した場合、当該処理は認められますか?

① 取得価額6万円の棚卸資産（通常の販売価額10万円）を家事のために消費したので、帳簿に6万円の収入（課税取引）を計上した場合

認められます

 補足説明　家事消費した棚卸資産の消費税の課税標準額は、取得価額6万円及び通常の販売価額10万円の50%に相当する金額以上の金額（6万円）を課税取引として計上していますので、帳簿に計上した6万円となります。

② 事業用資産（取得価額50万円、家事消費時の価額40万円）を家事のために消費したので、帳簿に30万円の収入（課税取引）を計上した場合

認められません

 補足説明　事業用資産の場合は、棚卸資産の家事消費の特例はありませんので、家事消費時の価額、40万円が消費税の課税標準額となります。

③ 事業用として購入した自動車（取得価額100万円）をたまたま家事のために使用したので不課税取引とした場合

認められます

参考：法4⑤、28③一、基通10-1-18、所基通39-1、39-2

Q-6 ● 法人の役員に対する低額譲渡の場合の時価

判 定 事 例	判 定

法人がその役員に対して著しく低い対価で資産を譲渡した場合には、時価により消費税が課税されるとのことですが、著しく低い対価かどうかを判定する場合の実際の譲渡対価と比較する価額は時価になりますか?

なります

法人が資産を役員に対して譲渡した場合において、その譲渡の対価の額が著しく低いときは、時価により譲渡があったものとして消費税が課税されることとなっています。この場合において、その譲渡の対価の額が「著しく低いとき」とは、譲渡の時における通常の販売価額（時価）のおおむね50％に相当する金額に満たない場合をいうこととされています。

なお、ここでいう時価は、法人税法上の時価の取扱いと同一で、売却を前提とした実現可能価額とされ、税抜経理をしている場合には税抜きの、税込経理をしている場合には税込みの価額により算定することになります。

参考：法28①、基通10－1－2

Q－7 ● 土地と建物を一括譲渡した場合

判　定　事　例	判　定
土地と建物とを一括譲渡した場合、消費税が課税される建物の譲渡代金は、譲渡時における時価の比率により按分する方法以外の計算方法はありますか？	**あります**

土地とその土地の上にある建物とを一括して譲渡した場合には、土地の譲渡は非課税であり、建物部分についてのみ課税されることになります。

この場合、譲渡代金を土地の部分と建物の部分とに合理的に区分する必要がありますが、この区分方法として、例えば、次のような方法があります。

① 譲渡時における時価の比率により按分する方法
② 相続税評価額や固定資産税評価額を基にして計算する方法
③ 土地及び建物の原価（取得費、造成費、一般管理費・販売費、支払利子等を含みます。）を基にして計算する方法

参考：法28①、令45③、基通10－1－5

Q－8 ● 外貨建取引に係る対価

判　定　事　例	判　定
売上金額の中に、外国通貨によって支払を受ける外貨建ての取引がかなり含まれている場合、その対価の円換算等の方法は法人税の取扱いと同じですか？	**同じです**

具体的には、資産の譲渡等の対価の額についての円換算は、原則として、事業者がその資産の譲渡等を行った日の電信売買相場の仲値（T.T.M）によることとなりますが、継続適用を条件としてその計上する日の電信買相場（T.T.B）によることもできます。

参考：基通10－1－7、所基通57の3－2、法基通13の2－1－2

Q−9 外貨建取引に係る本邦通貨の額が、その計上を行う日までに先物外国為替契約により確定している場合の取扱い

判　定　事　例	判　定

外貨建取引による仕入金額を電信売相場（T.T.S）により計上し、為替予約のある場合にはその予約額により仕入金額を計上しており、外貨建ての取引に係る資産の譲渡等の対価の額又は課税仕入れに係る支払対価の額について円換算を行う場合、当該資産の譲渡等又は課税仕入れに係る本邦通貨の額がその計上を行うべき日までに先物外国為替契約により確定していれば、その確定している本邦通貨の額を、資産の譲渡等の対価の額又は課税仕入れに係る支払対価の額としてよいのでしょうか？

その確定している本邦通貨の額をもってその円換算額とすることができます

参考：基通10−1−7、法基通13の2−1−4

Q−10 外貨建てによる仕入金額の換算を社内レートによっている場合の取扱い

判　定　事　例	判　定

一部の仕入先に対する支払を外貨で行う際、仕入金額の換算を社内レートによっている場合は、その課税仕入れに係る支払対価の額は社内レート換算での計算は認められますか？

認められません

補足説明

外貨建取引に係る収益、費用等の換算は、原則として、その計上すべき日の電信売買相場の仲値（T.T.M)によることとされており、いわゆる社内レートによって換算することは認められていません。

参考：基通10−1−7、法基通13の2−1−2、13の2−1−4

Q-11 ● 土地付建物の交換

判 定 事 例

　A社は10年前から所有していた店舗及びその敷地とK社が7年前から店舗として使用していた建物及びその敷地とを、次のとおり、それぞれの建物及び土地の交換契約書上の価額（消費税及び地方消費税抜き）で交換し、交換差金として、K社に1億円を支払いました。この場合の課税資産である建物の譲渡の対価の額（消費税の課税標準）は、3,000万円〔4億円× 3,000万円÷（3億7,000万円＋3,000万円）〕と考えてよいでしょうか？

① 当社の土地の価額　　3億7,000万円

　　　建物の価額　　3,000万円

② K社の土地の価額　　4億円

　　　建物の価額　　1億円

判 定

取得した土地付建物の価額（交換差金がある場合には、それを加減算します。）を交換により譲渡した土地と建物の価額の比等により区分して、課税資産である建物の譲渡の対価の額を計算します

参考：令45②四、③、基通10-1-8

Q-12 ● 安売りしている商品を物品切手により引き換えた場合

判 定 事 例

　メーカー希望小売価格1,000円の商品を850円で販売しており、お客様からこの商品の商品券（引換数量を表示している物品切手で、その販売価格は1,000円）の交付を受け、それと引換えにその商品を給付する際、引換え済みの券をその発行者に提示して、代金1,000円と販売協力手数料30円を領収している場合、経理処理としては、

売上げ時に、

　　　　　未収金850円／売上げ850円

とし、

交換時に、

　　　　現金1,030円／未収金850円・雑収入180円

とすれば、消費税は販売価格である850円に対して課税されますか？

判 定

されません

補足説明

　商品券の通常の販売価格である1,000円が課税標準となり、販売協力手数料30円についても、販売の協力に対する役務の提供として消費税が課税されます。

参考：基通10-1-9

Q−13 ● 所有権移転外ファイナンス・リース取引における残価保証額の取扱い

判 定 事 例	判 定
リース取引（所有権移転外ファイナンス・リース取引）における賃借人が保証する残存価額は、リース資産の引渡時に資産の譲渡等の対価の額に含まれますか？	✕ 含まれません

補足説明

　リース契約において残存保証額を定めていた場合には、リース資産が賃貸人に返還され、賃貸人が当該資産を第三者に売却した後に精算金額が確定し、賃貸人から賃借人に対して請求されます。

　したがって、リース契約における残存保証額の定めに基づき賃貸人が賃借人から収受する精算金は、その収受すべき金額が確定した日の属する課税期間における資産の譲渡等の対価の額に加算することとなります。

参考：法28①、基通9−3−6の4

Q−14 ● 事業の譲渡をした場合の対価の額

判 定 事 例	判 定
次のとおり甲支店に係る事業の全部（資産及び負債）を子会社乙に譲渡することになりました。 ○資産　　土地（時価評価額）　20億円 　　　　　売掛金　　　　　　　50億円 　　　　　有形減価償却資産　　10億円 　　　　　営業権　　　　　　　5億円 ○負債　　預り保証金　　　　　2億円 　　　　　買掛金　　　　　　　30億円 ○差引支払金額　　　　　　　　53億円 負債については、譲渡対価の額に含まれますか？	○ 含まれます

補足説明

　事例の場合の事業の譲渡に係る対価の額は、当事者間で授受した53億円に債務引受額32億円を加算した金額の85億円となります。

　この場合、その譲渡される資産の中に非課税資産である土地と売掛金が含まれていますから、譲渡対価の額を課税資産の譲渡対価と非課税資産の譲渡対価に次のように合理的に区分することになります。

$$譲渡対価の額85億円 \times \frac{有形減価償却資産10億円 + 営業権5億円}{土地20億円 + 売掛金50億円 + 有形減価償却資産10億円 + 営業権5億円}$$

$$= 15億円 ⇒ 課税資産の譲渡対価の額$$

参考：令45③、48②二、基通10−1−5

Q−15 中古車販売における未経過自動車税

判 定 事 例	判 定
中古車販売業者が中古車を販売する際に、自動車税の未経過分に相当する額を含めた販売価格で取引することがありますが、このような場合、その自動車税の未経過分に相当する額を契約書等で明示したときは、その額は課税資産の譲渡等の対価の額に含まれませんか？	含みます

 補足説明　　新所有者は、未経過自動車税相当額を税としてその徴収権者である都道府県に支払うものではなく、その年度までは自動車税を負担せずに使用することができる中古車の購入代金として支払うものであることから、中古車の販売業者においては、未経過自動車税相当額を含めて収受した販売代金の額が課税資産の譲渡等の対価の額となります。

参考：基通10−1−1、10−1−6

Q−16 資産の貸付けに伴う共益費

判 定 事 例	判 定
貸事務所業で入居者から収受する実費相当額の電気、ガス、水道料金等の共益費も課税の対象になりますか？	なります

 補足説明　　居住用住宅の貸付けに係る共益費は、非課税となります。

参考：基通6−13−9、10−1−14

Q−17 返品、値引き等の処理

判 定 事 例	判 定
売上げについて、返品を受けた場合や値引きをした場合には、売上額から返品額や値引額を差し引いた金額を売上げに計上している場合、課税標準は、この差引後の金額で差し支えありませんか？	差し支えありません

参考：法32、38①、基通10−1−15

Q−18 別途収受する配送料等の処理

判 定 事 例	判 定

贈答品の販売業者が、地方等へ贈答品を配送するには、顧客から商品代とは別に配送料を受け取っている場合、この配送料は課税の対象になりますか？

×

運送業者に委託して明確に区分している場合は課税の対象になりません

補足説明　物品の販売業者が、顧客から、運送業者に委託する配送料等を物品の価格とは明確に区分して収受し、その配送料等を預り金又は仮受金等として処理している場合には、その配送料等は物品販売業者の課税資産の譲渡等の対価の額に含まれないこととされています。

参考：基通10−1−16

Q−19 連帯納税義務に係る印紙税額の課税関係

判 定 事 例	判 定

建築業者が、建築工事請負契約の締結に当たって、施主と建築業者の双方が記名、押印する請負契約書を2通作成し、各当事者がそれぞれ1通所持することとしており、その請負契約書に貼付する印紙は2通分とも建築業者が購入し、後日半額（1通分）を施主に請求する場合、この施主に請求する印紙税相当額は課税の対象外になりますか？

○

なります

補足説明　事業者が本来納付すべき印紙税相当額を課税資産の譲渡等に関連して受け取る場合であったとしても、その印紙税相当額は課税資産の譲渡等の対価の額に含まれることとされていますが、これは課税資産の譲渡等を行う事業者のみが印紙税の納税義務者となる場合の取扱いです。

　請負契約書で契約当事者が記名、押印する契約書に係る印紙税は、契約当事者（印紙税の課税文書の共同作成者）双方が連帯して納税義務を負うことになるため、現実に印紙税を納付した連帯納税義務者の一人が他の連帯納税義務者から印紙税相当額の全部又は一部を受領しても、それは、連帯納税義務者間において定めた負担割合に基づいて、立替分の金額を受領したにすぎず、資産の譲渡等の対価として受領するものではありませんから、課税の対象外となります。

参考：基通10−1−4

Q-20 ● 自動車重量税等を売上げに含めた場合

判 定 事 例	判 定

自動車のディーラーが、自己の顧客に対して自動車を割賦販売する際、本来購入者が納税義務者となる自動車重量税、自動車税、自動車取得税（以下「自動車重量税等」といいます。）の額についても、車両本体価格と合計したところで割賦販売価額としており、これらの額の合計額を売上げに計上し（自動車重量税等の納付書は購入者名義となっており、本来は立替金処理すべきものですが、同一の割賦販売契約において立替金分として処理するものを含めることには問題があることから、当社では、そのように処理しているものです。）、自動車重量税については、売上原価に含めている場合、明確に区分していれば、自動車重量税等の額は課税の対象になりますか？

なりません

参考：基通10-1-4（注）

Q-21 ● 下取りがある場合の課税標準

判 定 事 例	判 定

自動車の販売に当たって、顧客の中古自動車の下取り価額をその販売代金から差し引いている場合、これは売上値引になりますか？

なりません

 補足説明

自動車の販売に当たって、顧客の中古自動車を下取りする行為は、「自動車の販売」と「中古自動車の仕入れ」の二つの取引から成り立っています。

したがって、自動車などを販売した場合における課税資産の譲渡等の対価の額は、下取り価額を控除する前の価額によることとされていますから、下取り価額を控除する前の価額を課税標準として消費税が課税されることとなります。

なお、この場合の下取りした中古自動車については、その事業者の課税仕入れに該当することとなり、仕入税額控除が適用できます。

参考：基通10-1-17

Q-22 ● 確定していない対価の処理

判 定 事 例	判 定
資産の引渡しの日の属する課税期間中にその対価が確定しない場合は、見積額等の概算金額が資産の譲渡等の対価の額になりますか？	なります

 補足説明　　確定した対価の額が見積額と異なるときは、その差額は、その確定した課税期間において、その課税期間における資産の譲渡等の対価の額の合計額に加算し、又は減算することとされています。

参考：基通10-1-20

Q-23 ● パック旅行の対価の額

判 定 事 例	判 定
旅行代理店においては、自己の主催する国内旅行について、その旅行費総額を売上げとして計上する方法と、運賃及び宿泊費は預り金とし、その運賃及び宿泊費を差し引いた残額を売上げとして計上する方法がありますが、課税標準の計算に当たっていずれの方法で計算していても認められますか？	認められます

 補足説明　　パック旅行は包括的な旅行の請負であり、原則として、旅行費として顧客から収受する金額の総額が役務の提供の対価となります。

　ただし、パック旅行と称するものであっても、その実質が手配旅行と認められるものについて、継続して運賃及び宿泊費は預り金とし、その運賃及び宿泊費を差し引いた残額の手数料部分を課税売上げとして計上しているときは、その残額を消費税の課税資産の譲渡等の対価の額として差し支えないこととされています。

Q-24 ● 値引き販売した入場券と課税資産の譲渡等の対価の額

判 定 事 例	判 定
映画や演劇等の主催者が、その入場券の一部を次のように値引き販売した場合、割引後の金額が、映画・演劇等の役務の提供の対価の額になりますか？ 　①　得意先の招待用にまとめて購入する会社に1割引で販売 　②　入場券の販売業者に2割引で販売	なります

　映画・演劇等の入場券も映画・演劇等を鑑賞するという役務の提供に係る請求権を表彰する証書ですから「物品切手等」に該当し、その譲渡は非課税となります。

　しかし、主催者自らが発行する場合に交付先から収受する金額は、物品切手等の譲渡の対価ではなく、その物品切手等により引換給付する映画・演劇等の鑑賞という役務の提供の対価を収受したことになります。

　したがって、入場券を割り引いて発行した場合は、その割引後の金額が、映画・演劇等の役務の提供の対価の額となります。これは、鉄道会社が発行する回数券なども同様です。

　なお、①の入場券を購入した事業者は、購入した入場券で得意先を招待した場合には、その購入価額（１割引後の価額）が課税仕入れに係る支払対価の額となりますが、入場券そのものを得意先に贈答する場合は、課税仕入れには該当しません。

　また、②の場合で入場券を購入した「販売業者」が他の者にその入場券を販売したときは、物品切手等の譲渡として非課税となる資産の譲渡等に該当することになります。

参考：基通６－４－４、６－４－５、10－１－９

Q－25　現物出資の場合の課税標準

判　定　事　例	判　定
子会社に次の資産と負債を合わせて現物出資した場合、その出資により取得する株式の取得の時における価額に相当する金額（時価）が資産の譲渡等の対価の額になりますか？ 　土地　時価30,000千円 　建物　時価20,000千円　｝取得する子会社株式の時価30,000千円 　借入金　20,000千円	 **なります**

　金銭以外の資産の出資を行った場合、その出資により取得する株式の取得の時における価額に相当する金額（時価）が資産の譲渡等の対価の額となります。

　また、非課税資産である土地と課税資産である建物を同時に譲渡したことになりますから、取得する子会社株式の時価のうち建物に相当する部分の金額が消費税の課税標準となります。

$$取得する株式の時価\atop30,000千円 \times \frac{建物（時価）20,000千円}{土地（時価）30,000千円＋建物（時価）20,000千円}$$

$$=12,000千円（建物の譲渡対価の額（税込み））\left[\times\frac{100}{110}\right]$$

参考：法28、令２①二、45②三、③

156

Q−26 手形で受領した場合の課税標準

判 定 事 例	判 定
商品等の販売代金を手形で受け取り、銀行で割り引いている場合、課税標準たる商品等の販売代金は、手形の額面金額になりますか？	○ **なります**

参考：法28①、令10③七

第10章 税額控除

Q-1 外交員、集金人等に支払う報酬

判 定 事 例	判 定
外交員、集金人、電力量計等の検針人などに対して支払う報酬又は料金については、所得税の取扱い上、給与所得に該当する部分がありますが、この給与所得に該当する部分は課税仕入れには該当しますか？	該当しません

参考：法2①十二、基通11-1-2、11-2-3

Q-2 外部講師の講演に対して支払う謝金

判 定 事 例	判 定
社員に教養研修の一環として外部から講師を招き、事業者でないと認められる大学教授や医師等に対して支払う講師の謝金でも、課税仕入れに該当しますか？	該当します

 補足説明　会社が大学教授等に対して支払う謝金は、講演という役務の提供を受けたことに対する対価と認められるので、課税仕入れに該当します。

参考：法2①十二、30、基通11-1-3

Q-3 マネキン（派遣店員）に対する支出

判 定 事 例	判 定
マネキン紹介所から自社製品の販売に従事するマネキンの紹介を受け、デパートに派遣する場合、次のものは課税仕入れに該当しますか？ ①　マネキン紹介所に支払うマネキンの報酬	該当しません

 補足説明　雇用関係に基づく給与等に該当するものとして、マネキンに対する報酬（便宜的にマネキン紹介所に支払う場合を含みます。）は、課税仕入れに該当せず、仕入税額控除の対象とはなりません。

② マネキン紹介所に支払う紹介料

該当します

 補足説明　マネキンの紹介という役務の提供の対価ですから課税仕入れに該当します。

参考：法2①十二、30、基通11−1−2

Q−4 ● 社員の発明等に対する社内報償金

判 定 事 例	判 定
社内規程において社内提案制度を設けて、業務上有益な発明、考案又は創作をした社員が、その発明、考案又は創作に係る特許、実用新案登録又は意匠登録を受ける権利を自社に承継させた際、その発明等をした社員に対し社内報償金を交付する旨を規定している場合、この社内報償金は、課税仕入れに該当しますか？	 **該当します**

 補足説明　社員が発明等をした特許、実用新案登録又は意匠登録を受ける権利を貴社に承継させた対価として報償金を交付していると認められますから、給与等を対価とする役務の提供とはいえません。

参考：法2①十二、30、基通11−2−2

Q−5 ● 出向社員の給与等を負担する場合

判 定 事 例	判 定
子会社に出向させた社員の給与等の一部を親会社が負担する給与等の金額は、課税仕入れに該当しますか？	 **該当しません**
親会社から子会社に出向してきた社員の給与等の一部を親会社が負担した場合、その負担給与等の金額を受け取った子会社では、その金額は、資産の譲渡等の対価に該当しますか？	 **該当しません**

参考：法2①十二、基通5−5−10、11−1−2

Q－6 出向先法人が支出する退職給与の負担金

判 定 事 例	判 定

親会社から出向者を定期的に受け入れており、これらの出向者が退職する際、親会社においては、自社に在籍していた期間に見合う退職金に子会社に出向していた期間に見合う退職金を加算して支給することとしているため、あらかじめ定めた負担区分に基づき、その出向者の出向期間に対応する一定の金額を親会社へ支払っている場合、この退職給与相当額の負担金は、課税仕入れに該当しますか？

×

該当しません

 補足説明

事業者の使用人が他の事業者に出向した場合において、その出向した使用人に対する給与を出向元事業者が支給することとしているため、出向先事業者が自己の負担すべき給与に相当する金額を出向元事業者に支出したときは、その給与負担金の額は、出向先事業者におけるその出向者に対する給与として取り扱われ、課税仕入れに該当しません。また、課税仕入れから除かれる給与等には、過去の労務提供に基づき支払われる退職金も含むこととされています。

したがって、子会社が支出する退職給与負担金は課税仕入れに該当せず、仕入税額控除の対象となりません。

参考：法2①十二、30、基通5－5－10、11－1－2

Q－7 出向社員に係る旅費等の実費負担分

判 定 事 例	判 定

親会社から出向契約に基づいて子会社に派遣されている社員の給与に相当する額（給与負担金）及びその他の出張旅費、通勤費等の実費を子会社が親会社に支払い、親会社がこれをそのまま派遣社員に支給している場合、子会社が負担する給与負担金以外の出張旅費等は、課税仕入れに該当しますか？

○

該当します

 補足説明

出向社員の出張旅費、通勤費などの実費相当額を給与負担金とは区別して親会社に支払う場合、これらの実費相当額は、派遣先子会社の事業の遂行上必要なものですから、その支払は課税仕入れに該当することになります。一方、親会社においては、それをそのまま派遣社員に支払うだけですから、預り金に相当し課税の対象にはなりません。

参考：法2①十二、30、基通5－5－10、11－1－2

Q-8 従業員からの自家用車の借上げ

判 定 事 例	判 定
従業員所有の自家用車を一定の条件で借り上げ、その借上自動車を所有者である従業員の営業活動に使用させ、その借上料は、ガソリン代の実費と走行キロ数に１km当たり60円を乗じて計算した金額（上限設定あり）との合計額とし、旅費、交通費として処理している場合の借上料は、課税仕入れに該当しますか？	該当します

 補足説明　　借上料は、走行キロ数やガソリン代の実費を基に算出される車両の賃借料であり、仕入税額控除の対象となります。

参考：法２①十二、30、基通11－１－２、11－１－３

Q-9 給与とされる出張旅費

判 定 事 例	判 定
出張旅費のうち、その旅行に通常必要と認められる範囲を超える金額については、所得税において従業員の給与に該当するとされていますが、消費税において給与となる部分は課税仕入れになりますか？	なりません

参考：法２①十二、30、基通11－１－２、11－６－４

Q-10 所得税の非課税限度額を超える通勤手当

判 定 事 例	判 定
遠隔地から通勤する使用人等に対し、会社までの通勤に必要な特急料金を含めて通勤手当を支給する場合、通勤手当は、所得税法上の非課税限度額を超えることとなり、超えた部分は給与として所得税が課税されますが、消費税法上は、課税仕入れに該当しますか？	該当します

 補足説明　　消費税法の取扱いにおいては、使用人等が通勤に必要な交通機関の利用又は交通用具の使用のために支出する費用について、事業者が使用人等に支給する通勤手当のうち、現にその通勤の費用に充てるものとした場合に、その通勤に通常必要であると認められる部分の金額については、課税仕入れに係る支払対価に該当するものとしています。

参考：法２①十二、30、基通11－６－５

Q-11 自動車通勤の場合の通勤手当

判 定 事 例	判 定
交通が不便なため、従業員に対して自動車通勤を認め、ガソリン代相当額を通勤手当として支給している場合は、課税仕入れに該当しますか？	 **該当します**

参考：法2①十二、30、基通11－6－5

Q-12 転勤に伴い支払われる支度金

判 定 事 例	判 定
人事異動により社員が転居を余儀なくされたときに、その社員に対して支給している、転居に伴う電話移設料、ガス器具調整代、その他の費用相当額を定額化した「転居支度金」は、課税仕入れに該当しますか？	 **該当します**

 **補足説明** 転居支度金が所得税基本通達9－3により所得税が非課税になるのであれば、課税仕入れに係る支払対価に該当することとなります。

参考：法2①十二、30、基通11－6－4

Q-13 外国貨物の保税運送の場合の運送代

判 定 事 例	判 定
外国から輸入しA保税蔵置場に搬入した貨物を税関長の承認を受けて、外国貨物のままB保税蔵置場に搬入することにし、その運送を海運会社に依頼した場合、その支払う運送料は、課税仕入れに該当しますか？	 **該当しません**

 **補足説明** 　仕入税額控除の対象となる課税仕入れとは、事業者が事業として他の者から資産を譲り受け、若しくは借り受け、又は役務の提供を受けることをいいますが、非課税となるものや免税となるものは除かれています。

　ところで、海運会社が貴社の依頼により行った運送は、外国貨物の運送ですから、海運会社においては、消費税法施行令第17条第2項第4号でいう「外国貨物の荷役、運送、保管、検数、鑑定その他これらに類する外国貨物に係る役務の提供」として免税となります。

　したがって、海運会社に対する運送代の支払は、課税仕入れには該当しないことになりますので、仕入税額控除の対象とはなりません。

参考：法2①十二、7①五、令17②四

Q−14 航海日当

判 定 事 例	判 定
乗船中の船舶乗組員に対して支給する、1日当たり一定額の航海日当は、所得税法上は旅費に準じて取り扱われ、非課税所得とされています。 　消費税法においても、従業員に支払う旅費は課税仕入れに該当しますが、航海日当についても同様ですか？	 内国航海に係るものである場合には課税仕入れに該当し、外国航海に係るものである場合には課税仕入れに該当しません

参考：法2①十二、基通11−6−4

Q−15 会社が一部負担する社員の借家料

判 定 事 例	判 定
従業員の借家の賃料の一部を会社で負担し、その負担金額を直接その借家の所有者に支払い領収書を保存する場合、会社が支払う賃料は、仕入税額控除の対象になりますか？	 なりません

 補足説明　　会社が負担するその金額は社員に対する給与に該当し、会社は、その支払う賃料について仕入税額控除の対象とすることはできません。

参考：法2①十二、基通11−1−2

Q−16 利子補給金

判 定 事 例	判 定
従業員の住宅取得を促進させるために、会社の福利厚生の一環として住宅取得資金貸付制度を設け、従業員は一定の条件の下に、会社のあっせんにより金融機関からその資金の貸付けを受けている場合、契約の当事者は従業員と金融機関ですが、会社は利子補給金という名目でその支払利息の一部を補助しています。この利子補給金は、仕入税額控除の対象になりますか？	 なりません

 この利子補給金は、従業員に対する経済的利益の供与と認められ給与に該当しますので、課税仕入れに該当しません。

参考：法2①十二、6①、法別表第二第3号

Q－17　従業員クラブのレクリエーション費用

判 定 事 例	判 定
消費税法基本通達1－2－4《福利厚生等を目的として組織された従業員団体に係る資産の譲渡等》に該当する従業員団体の場合には、原則として、その従業員団体の事業の全部をその事業者が行っているものとして取り扱われるそうですが、これに該当しない従業員の団体に対して、レクリエーション費用の全部又は一部を賄うために金銭を支出した場合、課税仕入れに該当しますか？	 該当しません

 補足説明　従業員の団体に対し一括して交付する金銭は、事業者とは独立した別個の団体に対する一種の補助金とでもいうべきものですから、課税仕入れに該当しません。

ただし、その交付した金銭の範囲内で、レクリエーション費用として消費されたことが、その従業員の団体の支払に係る適格請求書において明らかにされている場合には、その金額について課税仕入れとして取り扱って差し支えありません。

Q－18　レジャークラブの入会金

判 定 事 例	判 定
従業員の福利厚生の一環としてレジャークラブに入会（法人会員）するために支払ったこの入会金は、課税仕入れに該当しますか？	該当します

 補足説明　同業者団体、組合等がその構成員となる者から受ける入会金については、その会費や組合費と同様に、その同業者団体、組合等がその構成員に対して行う役務の提供等との間に明白な対価関係があるかどうかにより役務の提供等に係る対価であるかどうかを判定することとなりますが、例えば、ゴルフクラブ、宿泊施設その他のレジャー施設を会員に利用させることを目的とする団体が、その施設を利用する会員から入会金（返還しないものに限ります。）を受け取る場合、その入会金は資産の譲渡等に係る対価として消費税が課税されます。

したがって、消費税の課税の対象となる入会金を支払った場合には、その入会金は課税仕入れに該当します。

参考：法2①十二、基通5－5－4、5－5－5、11－2－5

Q-19　物品切手の仕入税額控除

判　定　事　例	判　定

福利厚生の一環として、次の物品切手等を従業員に支給していますが、仕入税額控除の対象になりますか？

① 協賛している催物等の入場券

なります

② 永年勤続者に対する旅行券

なります

補足説明

消費税が非課税とされる物品切手等は、その購入時においては課税仕入れに該当せず、役務又は物品の引換給付を受けた時にその引換給付を受けた事業者の課税仕入れとなります。

①及び②の物品切手等は、いずれも従業員が直接、物品又は役務の引換給付を受けるものですが、事業者が自ら引換給付を受けるものと同様の状況にあると認められますので、仕入税額控除の対象となります。

参考：法2①十二、令49①一ロ、基通11－3－7、11－4－3

Q-20　専属下請先の従業員への災害見舞金

判　定　事　例	判　定

災害等、一定の事由に該当する場合に、専属下請け業者の従業員に支払った災害等見舞金は、課税仕入れに該当しますか？

該当しません

補足説明

災害等の見舞金については、対価性のない取引として消費税の課税の対象となりません。

参考：法2①十二

Q－21 建設協力金

判　定　事　例	判　定
建設会社が請け負って建築中のビルに出店予定のテナントの内装工事業者が、請け負った内装工事代金の一定割合を建設会社に対して、建設協力金として支払うことで建築中のビルの電気・水道等を自由に使用することができる場合の建設協力金は、課税仕入れに該当しますか？	該当します

 補足説明

　この建設協力金は、単なる寄附金等ではなく、それを支出することによって電気・水道等の使用、足場の使用、その他工事を円滑に行えるような種々のサービスの提供を受けることができると認められますので、これらの役務の提供の対価として課税仕入れに該当します。

参考：法2①十二

Q－22 特約店等のセールスマンに直接支払う販売奨励金等

判　定　事　例	判　定
特約店等のセールスマンが、一定の販売目標を達成した場合に、直接そのセールスマンに対してあらかじめ定められた基準により、一定の報償金を支払い、これを販売奨励金として処理する場合の販売奨励金は、課税仕入れに該当しますか？	該当します

 補足説明

　特約店等のセールスマンに対して、あらかじめ定められているところによりその取扱数量に応じて支出する金品は、自己の直属の外交員に対する報酬の支払と同様のものと認められますから、課税仕入れに該当します。

参考：法2①十二

Q－23 神主に支払ったおはらいの謝礼

判　定　事　例	判　定
社屋の新築に当たり、地鎮祭で支払った神主へのおはらいの謝礼は、課税仕入れに該当しますか？	該当しません

 補足説明

　宗教法人などが行う宗教活動に対する支出（例えば祈祷、読経を行った場合に信者等が支払うお布施等）は、本質的にはその行為の対価というより、喜捨金、すなわち寄進であり、対価性がないと判断されますので、そもそも消費税の対象とはならないものと認められます。

参考：法2①八

Q−24 大学で行う社員研修の授業料

判 定 事 例	判 定

社員研修の一環として社員を社外に派遣し、次のような研修を定期的に受けさせる場合、派遣先に支払う授業料や受講料などは、課税仕入れに該当しますか？

① 大学、大学院等（学校教育法第１条に規定する学校）における研修で、大学公開講座等を受講する場合

該当します

補足説明

大学等における正規の授業科目ではなく、一般社会人等を対象に一般教養の修得等を目的として開講されるものですから、消費税法別表第二第11号イに規定する教育に関する役務の提供とは認められず、受講の対価である受講料等は課税の対象となります。

したがって、会社が支払う受講料等は課税仕入れとなります。

② 大学、大学院等（学校教育法第１条に規定する学校）における研修で、大学等の授業を聴講する場合

該当しません

補足説明

大学等における正規の授業科目について聴講生として授業を受け、その結果、一般には単位を取得することとなっているような大学等における聴講については、消費税法別表第二第11号イに規定する教育に関する役務の提供と認められますので、聴講の対価である授業料や聴講料は非課税となります。

したがって、会社が支払う授業料等は課税仕入れとはなりません。

③ 外国語学校、ビジネス学校等の各種学校（学校教育法第134条第１項に規定する学校）における研修で、修業期間が１年以上、その１年間の授業時間数が680時間以上であることなど消費税法別表第二第11号ハに規定する各種学校における教育の役務提供として消費税が非課税とされる要件に該当する場合

該当しません

④ 外国語学校、ビジネス学校等の各種学校（学校教育法第134条第１項に規定する学校）における研修で、上記③以外の場合

該当します

⑤　研究機関における研修

該当します

　補足説明

　大学等に設置された研究機関における研修であっても、その研修が消費税を非課税とする教育の役務提供に該当しない場合には、その研修料等は課税の対象となります。
　したがって、会社が支払う研修料等は課税仕入れとなります。

参考：法2①十二、法別表第二第11号、基通6－11－1

Q－25　交際費等に対する仕入税額控除

判　定　事　例	判　定
得意先に対する贈答品の購入費用のように、法人税上の交際費等に該当する課税仕入れについても、仕入税額控除の対象になりますか？	 **なります**

　補足説明

　商品券やビール券等の物品切手等の購入は非課税取引となりますから、課税仕入れに該当しません。

参考：法2①十二、法別表第二第4号ハ、基通11－1－3

Q－26　祝金、せん別と仕入税額控除

判　定　事　例	判　定
使用人や得意先に対する祝金やせん別は、課税仕入れになりますか？	 **なりません**

　補足説明

　得意先に支給する祝金やせん別は、対価性がなく、資産の譲渡等の対価として支払われるものではありませんから、消費税の課税の対象外となり、仕入税額控除の対象とはなりません。
　ただし、使用人や得意先にせん別等として物品を手渡した場合において、その物品の取得が課税仕入れに該当する場合には、その課税仕入れに係る支払対価は、仕入税額控除の対象となります。

参考：法2①八、十二

Q−27 ● 贈答品等の仕入れ

判 定 事 例	判 定
事業者において次のものを購入した場合には、仕入税額控除の対象となりますか？ ① 得意先に贈る中元、歳暮品 ② 創業○周年記念で社員、株主、得意先等に配布する物品	 なります なります

参考：法2①十二、基通11−2−1

Q−28 ● 渡切り交際費

判 定 事 例	判 定
営業担当の役員及び幹部社員に対して、得意先等の接待や贈答を目的として、毎月一定の金額を交際費用として支給しており、その精算は行っていない場合、実態としては、得意先等の接待等に現実に使用されていると思われますので、これらの渡切り交際費の支給は、課税仕入れに該当しますか？	× 該当しません

 補足説明　この交際費は、①精算が行われておらず、課税仕入れとしての費途が明らかにされていないこと、②所得税法上は、その支給を受けた役員等に対する給与として取り扱われることから、課税仕入れには該当しません。

参考：法2①十二

Q−29 ● 永年勤続者を旅行に招待する費用

判 定 事 例	判 定
勤続20年以上の使用人が定年退職する場合、在職中の労をねぎらうため、退職前にその使用人夫妻を旅行（4泊5日の国内パック旅行程度でその使用人が希望する場所）に招待する費用は、課税仕入れに該当しますか？	 該当します

補足説明　　旅行会社に支払う旅行費用は、旅行会社から役務の提供を受けることに伴って支払う対価ですから、課税仕入れに該当します。

参考：法2①十二、基通、11－6－4

Q－30　販売奨励金を支払った場合の税額控除

判　定　事　例	判　定
製造会社が卸売業者に対して、自社製品の売上高（取引高）に応じて支払う販売奨励金は、課税仕入れに該当しますか？	 該当しません

補足説明　　事業者が販売促進の目的で金銭により取引先に対して支払う販売奨励金等は、消費税法第38条第1項《売上げに係る対価の返還等をした場合の消費税額の控除》に規定する売上げに係る対価の返還等に該当するものとされています。

したがって、販売奨励金は、売上げに係る対価の返還等としてその税額控除を行うこととなります。

参考：法38①、基通14－1－2

Q－31　課税売上割合の端数処理

判　定　事　例	判　定
課税期間の課税売上割合が94.856……％だった場合、課税売上割合の計算は、少数点以下を四捨五入して95％とし、課税仕入れ等の税額の全額を控除することはできますか？	 少数点以下の四捨五入はできません

参考：法30②、⑥、令48、基通11－5－6

Q－32　宅地の造成費

判　定　事　例	判　定
課税仕入れ等の税額を個別対応方式によって算出する場合、不動産業者が宅地を造成して販売する際の造成費用は、仕入税額控除の対象となりますか？	 なりません
宅地造成の一環として行う私道の工事や給排水設備等の付帯工事に係る費用等は仕入税額控除の対象となりますか？	 なりません

 **補足説明**　宅地の造成費用は、消費税が非課税とされる土地の譲渡にのみ要する課税仕入れとなりますから、仕入税額控除の対象とはなりません。

また、私道工事や給排水設備等の付帯工事等は、宅地造成の一環として行われるものですから、同様に仕入税額控除の対象となりません。

参考：法30②、基通11－2－10、11－2－15

Q－33　試作用、サンプル用資材の税額控除

判　定　事　例	判　定
試作目的又はサンプルとして無償で提供する物品の製造に使用した原材料等について、仕入税額控除の対象となりますか？	**なります**

 **補足説明**　他の者からの仕入れが課税仕入れとなるものであれば、それが試作目的、サンプルとして無償で提供するための物品の製造に使用したものであっても、仕入税額控除の対象になります。

参考：法30、基通11－2－14

Q－34　株式の売買に伴う課税仕入れの取扱い

判　定　事　例	判　定
次の支払について、個別対応方式により仕入控除税額を計算する場合、これらの支出は非課税資産の譲渡等にのみ要する課税仕入れに係る支払対価として仕入税額控除の対象になりませんか？ ①　委託売買手数料	**なりません**

 **補足説明**　株式を売却する際の委託売買手数料は、株式の譲渡のための費用ですから、非課税資産の譲渡等にのみ要する課税仕入れに係る支払対価に該当し、仕入税額控除の対象にはなりません。

また、株式を購入する際の委託売買手数料は、それを売却するまでの間に配当金を収受することもありますが、配当金を得るための支払対価というよりも、後日における売却のための取得に要する支払対価と認められますから、同様に、非課税資産の譲渡等にのみ要する課税仕入れに係る支払対価に該当することになります。

② 投資顧問料

なりません

 補足説明　　投資顧問業者から売買に関して、専門的な助言を得る場合があります
が、このような助言に対して投資顧問業者に支払う投資顧問料も、委託
売買手数料と同様に非課税資産の譲渡等にのみ要する課税仕入れに係る
支払対価となります。

③ 保護預り料等

なりません

 補足説明　　株式の保護預り料は、後日の売却のための支出ですから、非課税資産
の譲渡等にのみ要する課税仕入れに係る支払対価となります。

参考：法30②

Q−35 ● 土地付建物の仲介手数料

判　定　事　例	判　定
土地と建物を一括して1億円で譲渡し、この土地の譲渡代金は8,000万円、建物の譲渡代金は2,000万円であった場合、個別対応方式により仕入控除税額を計算する場合には、この不動産業者に支払った仲介手数料について、その仲介手数料の総額の100分の20は課税売上げにのみ要するものとし、その100分の80は非課税売上げにのみ要するものとしてもよいでしょうか？	 　**はい**

参考：法30②一、基通11−2−19

Q−36　グリーン・エネルギー・マークの使用料

判 定 事 例	判 定

製造小売業者が製品の製造に必要な電力を「グリーン電力」で賄ったことを表現する「グリーン・エネルギー・マーク」を製品に添付することにした場合、このマークを添付するに当たって、使用料を支払いますが、この使用料は、仕入税額控除の対象になりますか？

○

なります

補足説明

　企業が、マーク・ライセンシーである事業者との間でマークの使用許諾契約に基づき支払うマークの使用料は、企業が製造した製品にマークを添付することができるためのもので、企業にとってマークの添付による企業自身及び商品の広告宣伝効果を期待して支払うものであり、また、マークの使用量等に応じて支払金額が設定されていることから、対価性のある費用に該当するものであるといえます。

　したがって、使用許諾契約に基づきマーク・ライセンシーである事業者に対して支払うマークの使用料は、仕入税額控除の対象となります。

Q−37　休業補償金・収益補償金・営業補償金など

判 定 事 例	判 定

　貸ビルの建替えに当たりテナントに一時退去を求め、その間の休業に対する補償として、休業補償金を支払うこととした場合、この補償金は、課税仕入れとして仕入税額控除の対象になりますか？

なりません

補足説明

　休業補償金や収益補償金、営業補償金などは、その実質が資産の譲渡等（資産の譲渡、貸付け又は役務の提供）の対価と認められない限り、消費税は不課税となりますので、仕入税額控除の対象とすることはできません。

参考：法2①八、十二、令2②、基通5−2−10

173

Q−38 貸ビル建設予定地上の建物の撤去費用等

判 定 事 例	判 定

貸ビル会社が貸ビルを建設するための土地を取得する際、その土地に借地権者の店舗が建っていたため、会社所有の土地に仮店舗を建設の上、移転先が決まるまでの間無償で貸し付けることとして、取得予定地上の店舗を撤去することとした場合、仮店舗を建設するための費用及び既存の店舗を撤去するための費用は、仕入税額控除の対象になりますか？

なります

 補足説明

　貸ビル建設予定地にある店舗を撤去するための費用は、土地そのものの取得（非課税取引）の対価ではなく、建物の撤去という役務の提供の対価として支出されるものですから、課税仕入れになります。

　また、借地権者の店舗移転先が決まるまでの間、自社の土地に仮店舗を建設して無償で貸し付ける場合の仮店舗の建設費用も、旧店舗の撤去費用と同様に課税仕入れに該当し、個別対応方式による場合は、課税資産の譲渡等にのみ要する課税仕入れに該当します。　　　参考：法30②、基通11−2−10

Q−39 海外工事に要する課税仕入れ

判 定 事 例	判 定

海外での建設工事に要する資産の国内における課税仕入れは、個別対応方式による場合、課税売上げにのみ要する課税仕入れになりますか？

なります

 補足説明

　国外において行う資産の譲渡等のための国内における課税仕入れ等があるときは、その課税仕入れ等について消費税法第30条第1項《仕入れに係る消費税額の控除》の規定が適用されます。

　また、個別対応方式により仕入控除税額を計算する場合には、課税仕入れ等について、①課税資産の譲渡等にのみ要するもの、②非課税資産の譲渡等にのみ要するもの、③課税・非課税資産の譲渡等に共通して要するものとに区分することとされていますが、非課税資産の譲渡等とは、国内において行われた資産の譲渡等のうち、消費税法別表第二に掲げるものをいうこととされています。

　したがって、国外において行う資産の譲渡等のための課税仕入れ等については、全て課税資産の譲渡等にのみ要するものに該当することとなりますから、個別対応方式により仕入控除税額を計算する場合には、その課税仕入れ等に係る消費税額の全額が控除対象となります。

参考：法2①八、九、十二、30①②一、基通11−2−11

Q－40 新株発行費用等の仕入れに係る消費税額の控除

判 定 事 例	判 定
繰延資産とされる新株発行又は社債発行を行う場合の事務委託費等について、これに課される消費税は、その支払時に一括して控除することができますか？	 **できます**

 補足説明

　創立費、開業費又は開発費等の繰延資産に含まれる課税仕入れ等に係る対価の額は、繰延資産としての償却の時期にかかわらず、その課税仕入れを行った日の属する課税期間において仕入れに係る消費税額の控除の対象とすることになります。

　したがって、新株発行又は社債発行を行う場合の事務委託費等も課税仕入れに該当しますから、その課税仕入れを行った日の属する課税期間において仕入れに係る消費税額の控除を行うことになります。

参考：法30、基通11－3－4

Q－41 割賦、延払いの方法による課税仕入れの場合の税額控除

判 定 事 例	判 定
割賦販売又は延払条件付販売等の方法で課税仕入れをした場合、その課税期間中に賦払期日の到来した部分の仕入れに係る消費税額だけが控除の対象になりますか？	 その資産の引渡し等を受けた日の属する課税期間において、仕入れに係る消費税額の全額を一括して控除します

参考：法2①十二、30、令10③九、十、基通11－3－2

Q−42 売上割引と仕入割引

判 定 事 例	判 定

商品の売買があった場合に、売買代金の決済に当たり、売上割引あるいは仕入割引を行いますが、この売上割引や仕入割引は利子として消費税は非課税になりますか？

売上割引は売上げに係る対価の返還等として、また、仕入割引は仕入れに係る対価の返還等として取り扱います

参考：法32、38、基通6−3−4、10−1−15、12−1−4

Q−43 代理店助成のために支払う奨励金

判 定 事 例	判 定

保険会社が代理店助成のために、代理店に対しその契約高（支払手数料の額）に応じて支払う奨励金は、課税仕入れになりますか？

なります

補足説明

　奨励金は、契約1件当たりにつき支払うこととされている手数料のほかに、代理店を奨励して保険の成約件数を伸ばした場合に支払うこととされているもので、代理店の契約高に応じて支払われるものと認められますから、一種の出来高払的な報酬の性質を有するものといえます。

　このように、手数料の上乗せとして契約高に応じて支払われる奨励金は代理店の役務の提供に対する対価として消費税の課税の対象になります。

　したがって、保険会社が支払う奨励金は課税仕入れになります。

参考：法32、基通12−1−2

Q-44 事業分量配当金の対価の返還等

判 定 事 例	判 定
協同組合等が組合員等に対して支払う事業分量配当金は、法人税法上は法人税法第60条の2第1項第1号《協同組合等の事業分量配当等の損金算入》により損金の額に算入され、その事業分量配当金に係る取引のあった事業年度の損金として取り扱われますが、この事業分量配当金は、組合側では売上げに係る対価の返還等に該当しますか？	◯ 該当します

補足説明　事業分量配当金は、協同組合等が組合員等に対し、その事業の利用分量に応じてその剰余金を分配するものであり、その性格が組合員との取引の価格修正であることから、組合側では売上げに係る対価の返還等に該当することになります。

参考：法32、基通12－1－3

Q-45 輸入手続を委託した場合の仕入税額控除の取扱い

判 定 事 例	判 定
A社は、米国の機械メーカーからA社の工場で使用する機械を購入するに当たり、その輸入を国内のB社に委託することにしました。 当該機械の輸入取引に際しては、A社が仕入書上の荷受人となり輸入貨物の引取り者（輸入者）として輸入申告を行いますが、B社は、輸入代行業者としてA社に代わって申告手続きを行うとともに、機械の保税地域からの引取りに係る消費税（以下「輸入消費税」といいます。）を一時的に負担し、後日、A社からB社に対して輸入消費税相当額を支払うこととしています（輸入した機械の代金については、A社が米国の機械メーカーに直接送金します。）。 この場合、当該機械に係る輸入消費税については、消費税の課税事業者であるA社において、仕入税額控除の対象とすることはできますか？ なお、当該機械の輸入は、関税定率法又は関税暫定措置法の規定に基づき、いわゆる限定申告が必要となるものではありません。	◯ できます

補足説明

　消費税の仕入税額控除の対象となるのは、国内において行う課税仕入れのほか、保税地域からの課税貨物の引取りがあります。この保税地域から引き取った課税貨物に課された又は課されるべき消費税額について仕入税額控除を受けるべき事業者は、消費税法第30条《仕入れに係る消費税額の控除》の規定に基づき、当該課税貨物を引き取った者、すなわち輸入申告を行った者になります。

　そして、輸入取引により貨物が輸入される場合で、限定申告が必要となるものでない場合等には、仕入書等に記載されている荷受人が輸入申告を行うこととなります（関税法基本通達6-1(1)）。

　したがって、当該輸入消費税に係る仕入税額控除は、輸入申告者であるA社が行うこととなり、輸入代行者であるB社において行うことはできません。

（注）　輸入取引とは、本邦に拠点を有する者が買手として貨物を本邦に到着させることを目的として売手との間で行った売買であって、現実に当該貨物が本邦に到着することとなったものをいい、通常、現実に貨物を輸入することとなる売買がこれに該当することとなります（関税定率法第4条第1項、関税定率法基本通達4-1）。

参考：法30①

Q-46　国外事業者から商品の通関手配等を委託した場合の仕入税額控除の取扱い

判　定　事　例	判　定
A社は、中国のB社（国外事業者）からの委託を受け、B社が日本国内の顧客向けに販売予定の商品の通関手配を代行するとともに、国内倉庫への搬入業務を行うこととしています。 　国内倉庫に搬入後に当該商品を日本国内の顧客に販売する主体（売主）は、B社であってA社ではありませんが、A社においては、当該商品の保税地域からの引取りに係る消費税（以下「輸入消費税」といいます。）を一時的に負担し、後日、B社から輸入消費税相当額を受領する予定です。 　この場合、当該商品に係る輸入消費税については、消費税の課税事業者であるA社において仕入税額控除の対象とすることはできますか？ 　なお、当該商品の輸入は、関税定率法又は関税暫定措置法の規定に基づき、いわゆる限定申告が必要となるものではありません。	  できません

補足説明

　消費税の仕入税額控除の対象となるのは、国内において行う課税仕入れのほか、保税地域からの課税貨物の引取りがあります。この保税地域から引き取った課税貨物に課された又は課されるべき消費税額について仕入税額控除を受けるべき事業者は、消費税法第30条《仕入れに係る消費税額の控除》の規定に基づき、当該課税貨物を引き取った者、すなわち輸入申告を行った者になります。

　そして、輸入取引（売買）によらず貨物を輸入する場合における輸入申告者とは、輸入申告の時点において、国内引取り後の輸入貨物の処分の権限を有する者をいい、その者以外に「輸入の目的たる行為を行う者」がある場合にはその者もこれに含まれます（関税法基本通達67－3－3の2⑵）。

　この点、A社は、単に通関手配を代行するとともに国内倉庫への搬入業務を行っているに過ぎませんので、当該商品について、国内引取り後の処分の権限を有する者及び輸入の目的たる行為を行う者には該当せず、当該商品の輸入申告者とはなりません。

　したがって、輸入申告者であるB社が消費税課税事業者である場合、輸入消費税に係る仕入税額控除はB社（当該商品の処分権限者）が行うこととなり、輸入代行者であるA社において行うことはできません。

（注）　B社（国外事業者）が輸入申告を行うには、税関事務管理人を定めて届け出る必要があります。

参考：法30①

Ｑ−47 ● 実質的な輸入者と申告名義人が異なる場合の特例

判　定　事　例	判　定
当社（A社）は、米国から飼料用のとうもろこしを輸入し、国内のB社に販売することとなりました。実質的な輸入者は当社であるため、本来であれば当社が輸入申告を行うところですが、飼料用のとうもろこしは、関税定率法の規定に基づきいわゆる限定申告が必要となるものであるため、税関長の承認を受けた製造者であるB社の名義で輸入申告を行わなければなりません。 　そうすると、当社は輸入消費税を納付しているにもかかわらず、当社の消費税の確定申告に際して輸入消費税を仕入税額控除の対象とすることができないことに加え、当社が輸入したとうもろこしをB社へ販売する際に、更に消費税が課税されることとなります。 　このような場合に、実質的な輸入者が輸入消費税を仕入税額控除の対象とすることができる特例はありますか。	○ あります

 補足説明

　保税地域から引き取られる外国貨物に係る納税義務者は、その外国通貨を保税地域から引き取る者であり、関税法における「輸入者」とその範囲を同じくしています。

　この場合の「輸入者」とは、貨物を輸入する者すなわち輸入申告書に記載した名義人をいいます。したがって、輸入申告の名義人が輸入物品の引取りに係る消費税等の納税義務者ということになります。

　しかしながら、関税定率法又は関税暫定措置法の規定に基づき、いわゆる限定申告が必要となるものについては、一定の者（輸入物品を国内で使用する者等）を輸入申告の名義人にすることが義務付けられている関係上、本来の引取りに係る消費税等を実質的に納税する者と輸入申告上の名義人とが別々にならざるを得ないことになります。

　このような場合、消費税法基本通達11－1－6の取扱いにより、次の(1)から(3)までの全ての要件に該当するときは、実質的な輸入者が当該課税貨物を保税地域から引き取ったものとして、実質的な輸入者において引取りに係る消費税額を控除することも認められます。

(1)　実質的な輸入者が、輸入申告者が引き取ったものとされる当該課税貨物を輸入申告後において輸入申告者に有償で譲渡する。

(2)　実質的な輸入者が、当該課税貨物の引取りに係る消費税額及び地方消費税額を負担する。

(3)　実質的な輸入者が、輸入申告者名義の輸入許可書及び同名義の引取りに係る消費税等の領収証書の原本を保存する。

　したがって、御質問の飼料用のとうもろこしの輸入の場合、関税定率法の規定に基づき、いわゆる限定申告が必要となるものに該当するため、Ａ社においてＢ社名義の輸入許可書及び引取りに係る消費税等の領収証書の原本を保存することを条件として、実質的な輸入者であるＡ社が輸入消費税を仕入税額控除の対象とすることが認められます。

参考：法5②、30①、基通11－1－6

Q－48 調整対象固定資産の範囲

判　定　事　例	判　定
棚卸資産は、課税売上割合が著しく変動した場合の仕入控除税額の調整計算の対象となる「調整対象固定資産」に含まれますか？	 **含まれません**

参考：法2①十六、30②、33、令5、基通12－2－1

Q−49　調整対象固定資産の支払対価

判　定　事　例	判　定

　消費税法上、調整対象固定資産は、その資産の課税仕入れに係る支払対価の額の110分の100に相当する金額が100万円以上のものということになっていますが、この場合、所得税や法人税における減価償却資産の取得価額の算定と同じように、引取運賃、荷役費、運送保険料等その資産を購入するために要した費用等を加算して判定しますか？

資産を購入するために要した費用等は加算しません

参考：法2①十六、令5、基通12−2−2

Q−50　資本金1,000万円以上の法人が設立1期目に調整対象固定資産を購入した場合の取扱い

判　定　事　例	判　定

　令和5年4月1日に資本金1,000万円で設立した3月決算（課税期間1年）の法人が、設立1期目に設備投資として機械（調整対象固定資産に該当）を200万円で購入し、この機械に係る消費税の還付を受けるため、一般課税により申告を行う予定とした場合、次年度についても引き続き一般課税により申告しなければなりませんか？

調整対象固定資産の課税仕入れを行った課税期間から3年間は、一般課税での申告が必要となります

参考：法9⑦、12の2②、33、37③

Q−51　調整対象固定資産を中途で売却した場合の調整

判　定　事　例	判　定

　調整対象固定資産を購入して2年後に売却した場合でも、課税売上割合が著しく変動した場合の仕入控除税額の調整計算に当たってはその売却資産も含めますか？

含めません

参考：法33、基通12−3−3

Q−52 資本的支出があった場合の調整対象固定資産

所得税法や法人税法においては、減価償却資産について支出した金額のうち、その減価償却資産の使用可能期間を延長させ、又は価額を増加させる部分に対応する金額は資本的支出としてその減価償却資産の取得価額に加算することになっていますが、消費税法において、後に課税売上割合が著しく変動し、調整対象固定資産について調整を要することとなったときは、その調整対象固定資産に該当する資産に係る資本的支出についても調整対象固定資産と判定しますか？

判 定

その資本的支出自体を独立した一の資産として判定します

参考：法2①十六、令5、基通12−2−5

Q−53 居住用賃貸建物の取得等に係る消費税の仕入税額控除

判 定 事 例

当社（6月決算）は、令和6年5月に締結した契約に基づき、居住用賃貸建物（高額特定資産に該当）を同年6月に取得し、同年7月から家賃収入を得ることになりました。

この居住用賃貸建物に係る消費税については令和6年6月課税期間の仕入税額控除の対象として消費税の申告をするつもりでいましたが、居住用賃貸建物に係る課税仕入れ等の税額については、仕入税額控除の対象とすることはできますか？

なお、当社の課税売上高は5億円以下であり、課税売上割合は95％以上です。

判 定

できません

補足説明

居住用賃貸建物が自己建設高額特定資産である場合は、自己建設高額特定資産の建設等に要した仕入れ等に係る支払対価の額の累計額が1,000万円以上となった課税期間以後の当該建物に係る課税仕入れ等の税額について適用されることとなるため、当該課税期間の前課税期間以前に行われた当該建物に係る課税仕入れ等の税額は、仕入税額控除の対象となります。

したがって、令和6年5月に締結した契約に基づき取得した当該居住用賃貸建物に係る課税仕入れ等の税額については、仕入税額控除の対象とすることはできません。

参考：法30⑩、35の2、令50の2、基通11−7−1〜11−7−5

Q−54 免税事業者であった課税期間に仕入れた棚卸資産

判 定 事 例	判 定

設立後３期目をむかえ、初めて消費税の課税事業者となった事業者が、免税事業者であった前課税期間中に仕入れた商品で当課税期間に入ってから販売する商品は、売却した時には消費税が課税される一方、仕入れた時は税額控除の対象とすることができますか？

○

できます

 補足説明

　免税事業者が課税事業者となる日の前日において所有する棚卸資産のうち、納税義務が免除されていた期間中の課税仕入れ等に係るものがあるときは、その棚卸資産に係る消費税額は、課税事業者となった課税期間の課税仕入れ等の税額とみなして仕入税額控除の対象となります。

　免税期間中に課税仕入れを行った商品で棚卸資産として当課税期間に繰り越したものは、その棚卸資産の取得に要した課税仕入れに係る費用の額の合計額の110分の7.8（軽減対象資産の場合は108分の6.24）の金額を当課税期間の課税仕入れ等の税額とみなして仕入税額控除の対象とすることができます。

参考：法36①

Q−55 免税事業者となる場合の棚卸資産に係る消費税額の調整

判 定 事 例	判 定
翌課税期間はその基準期間における課税売上高が1,000万円以下となるため免税事業者となる場合、課税事業者である当課税期間中に仕入れた棚卸資産については、当課税期間中に仕入税額控除を行い、それを翌課税期間に譲渡した場合は、売上げに対して消費税がかからないことになりますが、それでよいですか？	 課税事業者である当課税期間に仕入れ、免税事業者となる翌課税期間以後に販売される棚卸資産についての消費税額は当課税期間において仕入税額控除はできません

 補足説明

　消費税の課税事業者が、免税事業者となる課税期間の直前の課税期間において行った課税仕入れ等に係る棚卸資産を、当該直前の課税期間の末日で有しているときは、その有する棚卸資産についての課税仕入れ等の消費税額は、当該直前の課税期間における仕入税額控除の対象とすることはできません。

　当課税期間に仕入れ、翌課税期間以後に販売される棚卸資産についての消費税額は当課税期間において仕入税額控除はできないことになります。

参考：法36⑤

Q−56 貸倒引当金勘定に繰り入れた損失見込額と貸倒れに係る消費税額の控除等

判 定 事 例	判 定
得意先に対する売掛債権の一部について法人税法第52条第1項に規定する損失見込額として損金経理により貸倒引当金勘定に繰り入れることにした場合、この売掛債権は、課税資産の譲渡等に係るものですが、これに係る貸倒引当金勘定は消費税法第39条の貸倒れに係る消費税額の控除の対象となりますか？	 なりません

 補足説明

　法人税法第52条第1項の規定による貸倒引当金への繰入れは、売掛債権等の回収不能見込額などについて認められるもので、実際に「回収することができなくなった」事実が発生しているわけではありませんので、貸倒れに係る消費税額の控除の対象になりません。

参考：法39①

Q-57 ● 課税事業者となった後における免税期間に係る売掛金等の貸倒れ

判 定 事 例	判 定

消費税の免税事業者であった前課税期間に発生した取引先に対する課税売上げに係る売掛債権について、当課税期間において会社更生法の規定による更生計画認可の決定により切り捨てられることになった場合、当課税期間は課税事業者なので取引先に対する切り捨てられた債権について、貸倒れに係る消費税額の控除はできますか？

控除はできません

補足説明

取引先に対する課税資産の譲渡等が免税事業者であった課税期間において行われたものですから、その売掛債権については貸倒れに係る消費税額の控除はできないことになります。　参考：法39、基通14-2-4

Q-58 ● 消費者に対するキャッシュバックサービス

判 定 事 例	判 定

新製品キャンペーンの一環として、製品を購入した消費者全員に対してキャッシュバックサービスを行うこととしていますが、売上げに係る対価の返還に該当しますか？

該当します

補足説明

製品の購入者は、取引先に当然含まれるものですから、製品の購入者に対してもれなくキャッシュバックする金銭は、売上げに係る対価の返還に該当することとなります。　参考：法38①、基通14-1-2

Q-59 ● 免税期間の資産の譲渡に係る対価の返還等の取扱い

判 定 事 例	判 定

免税事業者であった課税期間において行った課税資産の譲渡等について、課税事業者になった後に次のようなことが生じた場合、それぞれ次の規定の適用はありますか？
① 課税事業者になった後にその仕入れに係る返品及び割戻しを受けた場合の消費税法第32条第1項《仕入れに係る対価の返還等を受けた場合の仕入れに係る消費税額の控除の特例》の規定の取扱い

適用はありません

② 課税事業者になった後にその売上げに係る割戻しを行った場合の消費税法第38条第1項《売上げに係る対価の返還等をした場合の消費税額の控除》の規定の取扱い

適用はありません

 補足説明

　仕入れに係る対価の返還等及び売上げに係る対価の返還等があった場合の消費税額の調整は、課税対象となった対価について返還があった場合に行うものです。免税事業者であった課税期間において行った課税資産の譲渡等について課税事業者になった後に生じた仕入れ・売上げの返品及び割戻しは、消費税の納税が免除されている課税期間における課税資産の譲渡等に基づくものであるため、消費税法第32条第1項及び第38条第1項の規定の適用はありません。

　ただし、免税事業者であった課税期間において行った課税仕入れについての仕入れに係る対価の返還等であっても、消費税法第36条《納税義務の免除を受けないこととなった場合等の棚卸資産に係る消費税額の調整》の規定の適用を受けた棚卸資産の課税仕入れについては、消費税法第32条の適用があります。

　なお、消費税法第9条第2項に規定する基準期間における課税売上高の計算及び消費税法施行令第48条第1項に定める課税売上割合の計算において、免税事業者であった課税期間における売上げに係る対価の返還等があった場合には、その売上げは消費税の課税が免除されている課税期間に係るものであることから、その売上げに係る対価の返還等に対する消費税額（法9②一ロの額及び令48①二ロの額）はないものとして課税売上高及び課税売上割合の計算を行います。

参考：法9②、32①、36、38①、令48①、基通12-1-8、14-1-6

Q-60 いわゆる「95％ルール」の適用要件

判　定　事　例	判　定
仕入税額控除制度におけるいわゆる「95％ルール」を適用できるのは、その課税期間における課税売上高が5億円以下の事業者に限られるのでしょうか？	 **はい**

参考：法30②⑥

第11章 帳簿及び請求書等の保存（適格請求書等保存方式）

Q-1 ● 仕入税額控除の要件

判 定 事 例	判 定
適格請求書等保存方式の下では、一定の事項が記載された帳簿及び請求書等の保存が仕入税額控除の要件となりますか？	 なります

補足説明

保存すべき請求書等には、適格請求書のほか、次の書類等も含まれます。

1　適格簡易請求書

2　適格請求書又は適格簡易請求書の記載事項に係る電磁的記録

3　適格請求書の記載事項が記載された仕入明細書、仕入計算書その他これに類する書類（課税仕入れの相手方において課税資産の譲渡等に該当するもので、相手方の確認を受けたものに限ります。）（書類に記載すべき事項に係る電磁的記録を含みます。）

4　次の取引について、媒介又は取次ぎに係る業務を行う者が作成する一定の書類（書類に記載すべき事項に係る電磁的記録を含みます。）

・　卸売市場において出荷者から委託を受けて卸売の業務として行われる生鮮食料品等の販売

・　農業協同組合、漁業協同組合又は森林組合等が生産者（組合員等）から委託を受けて行う農林水産物の販売（無条件委託方式かつ共同計算方式によるものに限ります。）

（注）　一定規模以下の事業者は、令和5年10月1日から令和11年9月30日までの間に国内において行う課税仕入れについて、当該課税仕入れに係る支払対価の額が1万円未満である場合には、一定の事項が記載された帳簿のみの保存により、当該課税仕入れについて仕入税額控除の適用を受けることができる経過措置が設けられています。

参考：法30⑦⑧⑨、令49①、規15の4、平28改法附53の2、平28改令附24の2①

Q-2 ● 登録の手続

判 定 事 例	判 定
適格請求書発行事業者の登録を受けようとする場合、納税地を所轄する税務署長に登録申請書を提出する必要がありますか？	**あります**

 補足説明　　　適格請求書発行事業者の登録を受けることができるのは、課税事業者に限られます。

参考：法57の2①〜⑤⑦、令70の5①、基通1－7－1

Q-3 ● 登録の効力

判 定 事 例	判 定
適格請求書発行事業者の登録の効力は、登録申請書の提出をした日から発生しますか？	適格請求書発行事業者登録簿に登載された日（登録日）に発生します

 補足説明　　　令和5年10月1日より前に登録の通知を受けた場合であっても、登録の効力は登録日である令和5年10月1日に生じることとなります。

参考：法57の2③〜⑤⑦、基通1－7－3

Q-4 免税事業者の登録

判　定　事　例	判　定
免税事業者が令和５年10月１日から令和11年９月30日までの日の属する課税期間中において、令和５年10月１日後に登録を受ける場合には、適格請求書発行事業者の登録申請書に登録希望日を記載することで、その登録希望日から課税事業者となることができますか？	 ○ **できます**

 補足説明　税務署長による登録が完了した日が登録希望日後となった場合であっても、登録希望日に登録を受けたものとみなされます。

参考：法57の２②、令70の２、平28改法附44④⑤、平30改令附15②③、基通１－７－１、21－１－１

Q-5 簡易課税制度を選択する場合の手続等

判　定　事　例	判　定
免税事業者が令和５年10月１日から令和11年９月30日までの日の属する課税期間中に登録を受ける場合には、登録を受けた日から課税事業者になるとのことですが、その課税期間から簡易課税制度の適用を受けることができますか？	 ○ **できます**

 補足説明　免税事業者が令和５年10月１日から令和11年９月30日までの日の属する課税期間中に登録を受けることとなった場合には、登録日（令和５年10月１日より前に登録の通知を受けた場合であっても、登録の効力は登録日から生じます。）から課税事業者となる経過措置が設けられています。

　この経過措置の適用を受ける事業者が、登録日の属する課税期間中にその課税期間から簡易課税制度の適用を受ける旨を記載した「消費税簡易課税制度選択届出書」を、納税地を所轄する税務署長に提出した場合には、その課税期間の初日の前日に消費税簡易課税制度選択届出書を提出したものとみなされます。

　したがって、登録日の属する課税期間中にその課税期間から簡易課税制度の適用を受ける旨を記載した「消費税簡易課税制度選択届出書」を提出することにより、その課税期間から、簡易課税制度の適用を受けることができます。

参考：平28改法附44④、51の２⑥、平30改令附18、基通21－１－１

Q−6　登録の任意性

判　定　事　例	判　定
軽減税率対象品目の販売を行っていない場合、適格請求書発行事業者の登録を必ず受けなければなりませんか？	登録を受けるかどうかは事業者の任意です

 補足説明

　登録を受けなければ、適格請求書を交付することができないため、取引先が仕入税額控除を行うことができません。

参考：法57の2①、57の4①

Q−7　登録の取りやめ

判　定　事　例	判　定
適格請求書発行事業者の登録を取りやめたい場合、納税地を所轄する税務署長に「適格請求書発行事業者の登録の取消しを求める旨の届出書」を提出する必要がありますか？	あります

 補足説明

　原則として、「適格請求書発行事業者の登録の取消しを求める旨の届出書」（以下「登録取消届出書」といいます。）の提出があった日の属する課税期間の翌課税期間の初日に登録の効力が失われます。

　ただし、登録取消届出書を、翌課税期間の初日から起算して15日前の日を過ぎて提出した場合は、翌々課税期間の初日に登録の効力が失われることとなります。

参考：法57の2⑩一、二、三、令70の5③、平28改法附44⑤

Q−8　事業の廃止や法人の合併による消滅があった場合の手続

判　定　事　例	判　定
事業の廃止や法人の合併による消滅があった場合、何か届出は必要ありますか？	あります

 補足説明

　消費税法上、事業者が事業を廃止した場合は「事業廃止届出書」を、合併による消滅の事実があった場合は「合併による法人の消滅届出書」を、納税地を所轄する税務署長に提出する義務があります。

　なお、「事業廃止届出書」を提出した場合は、事業を廃止した日の翌日に、「合併による法人の消滅届出書」を提出した場合は、法人が合併により消滅した日に適格請求書発行事業者の登録の効力が失われます。

（注）　これらの届出書を提出していない場合であっても、税務署長は、事業を廃止したと認められる場合、合併により消滅したと認められる場合に適格請求書発行事業者の登録を取り消すことができます。

参考：法57①三、五、法57の2⑥、法57の2⑩、基通1－7－6、1－7－7

Q－9　適格請求書発行事業者が免税事業者となる場合

判　定　事　例	判　定
適格請求書発行事業者の登録を受けている事業者で、翌課税期間の基準期間における課税売上高が1,000万円以下である場合、免税事業者となりますか？	**なりません**

参考：法9①、基通1－4－1の2

Q－10　登載事項の公表方法

判　定　事　例	判　定
適格請求書発行事業者の情報は、国税庁のホームページに公表されますか？	**公表されます**

補足説明

　適格請求書発行事業者の情報（登録日など適格請求書発行事業者登録簿に登載された事項）は、「国税庁適格請求書発行事業者公表サイト」において公表されます。また、適格請求書発行事業者の登録が取り消された場合又は効力を失った場合、その年月日が「国税庁適格請求書発行事業者公表サイト」において公表されます。具体的な公表事項については、次のとおりです。

(1)　法定の公表事項

　①　適格請求書発行事業者の氏名（注）又は名称

　②　法人（人格のない社団等を除きます。）については、本店又は主たる事務所の所在地

　③　特定国外事業者以外の国外事業者については、国内において行う資産の譲渡等に係る事務所、事業所その他これらに準ずるものの所在地

　④　登録番号

　⑤　登録年月日

　⑥　登録取消年月日、登録失効年月日

　（注）　個人事業者の氏名について、「住民票に併記されている外国人の通称」若しくは「住民票に併記されている旧氏（旧姓）」を氏名として公表することを希望する場合又はこれらを氏名と併記して公

表することを希望する場合は、登録申請書と併せて、必要事項を記載した「適格請求書発行事業者の公表事項の公表（変更）申出書」をご提出ください。

(2) 本人の申出に基づき追加で公表できる事項

次の①、②の事項について公表することを希望する場合には、必要事項を記載した「適格請求書発行事業者の公表事項の公表（変更）申出書」をご提出ください。

① 個人事業者の「主たる屋号」、「主たる事務所の所在地等」

② 人格のない社団等の「本店又は主たる事務所の所在地」

参考：法57の2 ④⑪、令70の5 ①②

Q−11 適格請求書の交付義務

判 定 事 例	判 定

適格請求書発行事業者は、次の場合、適格請求書の交付義務が課されますか？

① 国内において課税資産の譲渡等を行った場合

相手方（課税事業者に限ります。）からの求めに応じて交付する義務が課されています

 補足説明　課税資産の譲渡等に係る適用税率は問いませんので、標準税率の取引のみを行っている場合でも、取引の相手方（課税事業者に限ります。）から交付を求められたときは、適格請求書の交付義務があることにご留意ください。

免税取引、非課税取引及び不課税取引のみを行った場合については、適格請求書の交付義務は課されません。

② 適格請求書発行事業者が行う事業の性質上、適格請求書を交付することが困難な取引の場合

適格請求書の交付義務が免除されます

参考：法57の4 ①⑤、令70の9 ②

Q−12 ● 適格簡易請求書の交付ができる事業者

判 定 事 例	判 定
次の事業を行う場合、適格請求書に代えて、適格簡易請求書を交付できますか？	
① 小売業	◯ できます
② 飲食店業	◯ できます
③ 写真業	◯ できます
④ 旅行業	◯ できます
⑤ タクシー業	◯ できます
⑥ 駐車場業（不特定かつ多数の者に対するもの）	◯ できます
⑦ その他これらの事業に準ずる事業で不特定かつ多数の者に資産の譲渡等を行う事業	◯ できます

参考：法57の4②⑤、令70の11

Q－13　適格請求書の様式

判　定　事　例	判　定
適格請求書の様式は、法令又は通達等で定められていますか？	✕ 定められていません

補足説明　適格請求書として必要な事項が記載された書類（請求書、納品書、領収書、レシート等）であれば、その名称を問わず、適格請求書に該当します。

参考：法57の4①、基通1－8－1

Q－14　適格請求書の交付義務が免除される取引

判　定　事　例	判　定
適格請求書の交付が困難な取引として、次の取引は交付義務が免除されますか？ ①　3万円未満の公共交通機関（船舶、バス又は鉄道）による旅客の運送	〇 されます
②　出荷者等が卸売市場において行う生鮮食料品等の販売（出荷者から委託を受けた受託者が卸売の業務として行うものに限る）	〇 されます
③　生産者が農業協同組合、漁業協同組合又は森林組合等に委託して行う農林水産物の販売（無条件委託方式かつ共同計算方式により生産者を特定せずに行うものに限る）	〇 されます
④　3万円未満の自動販売機及び自動サービス機により行われる商品の販売等	〇 されます
⑤　郵便切手類のみを対価とする郵便・貨物サービス（郵便ポストに差し出されたものに限る）	〇 されます

参考：法57の4①、令70の9②、規26の6

Q－15 農協等を通じた委託販売

判 定 事 例	判 定

農業協同組合等を通じた農林水産物の委託販売は、組合員等の適格請求書の交付義務が免除されますか？

されます

補足説明

農業協同組合法に規定する農業協同組合や農事組合法人、水産業協同組合法に規定する水産業協同組合、森林組合法に規定する森林組合及び中小企業等協同組合法に規定する事業協同組合や協同組合連合会（以下これらを合わせて「農協等」といいます。）の組合員その他の構成員が、農協等に対して、無条件委託方式かつ共同計算方式により販売を委託した農林水産物の販売（その農林水産物の譲渡を行う者を特定せずに行うものに限ります。）は、適格請求書を交付することが困難な取引として、組合員等から購入者に対する適格請求書の交付義務が免除されます。

参考：法57の4①、令70の9②二ロ、規26の5②

Q－16 媒介者交付特例

判 定 事 例	判 定

商品の販売を委託し、委託販売（委託販売の委託者及び受託者はいずれも適格請求書発行事業者です。）を行っている場合、受託者から購入者に交付している納品書を適格請求書とすることはできますか？

できます

補足説明

次の1及び2の要件を満たすことにより、媒介又は取次ぎを行う者である受託者が、委託者の課税資産の譲渡等について、自己の氏名又は名称及び登録番号を記載した適格請求書又は適格請求書に係る電磁的記録を、委託者に代わって購入者に交付し、又は提供することができます。

1　委託者及び受託者が適格請求書発行事業者であること
2　委託者が受託者に、自己が適格請求書発行事業者の登録を受けている旨を取引前までに通知していること

参考：法57の4①、令70の12①③④、基通1－8－10、1－8－11

Q−17 適格返還請求書の交付義務

判 定 事 例	判 定
適格請求書発行事業者は、返品や値引き等の売上げに係る対価の返還等を行う場合、適格返還請求書の交付義務はありますか？	**あります**

 補足説明

次の場合には、適格返還請求書の交付義務が免除されます。

1 3万円未満の公共交通機関（船舶、バス又は鉄道）による旅客の運送
2 出荷者等が卸売市場において行う生鮮食料品等の販売（出荷者から委託を受けた受託者が卸売の業務として行うものに限ります。）
3 生産者が農業協同組合、漁業協同組合又は森林組合等に委託して行う農林水産物の販売（無条件委託方式かつ共同計算方式により生産者を特定せずに行うものに限ります。）
4 3万円未満の自動販売機及び自動サービス機により行われる商品の販売等
5 郵便切手類のみを対価とする郵便・貨物サービス（郵便ポストに差し出されたものに限ります。）

上記のほか、売上げに係る対価の返還等に係る税込価額が1万円未満である場合には、その適格返還請求書の交付義務が免除されます。

なお、適格請求書発行事業者の登録を受ける前に行った課税資産の譲渡等について、登録を受けた以後に売上げに係る対価の返還等を行う場合には、適格返還請求書の交付義務はありません。

参考：法57の4③、令70の9③、基通1−8−18

Q−18 少額な対価返還等に係る適格返還請求書の交付義務免除に係る1万円未満の判定単位

判 定 事 例	判 定
売上げに係る対価の返還等に係る税込金額が1万円未満である場合には、当該対価返還等に際し、適格返還請求書を交付する義務が免除されるとのことですが、1万円未満の対価返還等は、返還した金額や値引き等の対象となる請求や債権の単位ごとに減額した金額により判定すればよいのでしょうか？	**はい**

参考：法38①、57の4③、令70の9③二、基通1−8−17

Q－19 適格請求書の電磁的記録による提供

判 定 事 例	判 定
請求書を取引先にインターネットを通じて電子データを提供していますが、この請求書データを適格請求書とすることができますか？	請求書データに適格請求書の記載事項を記録して提供することにより、適格請求書の交付に代えることができます

 補足説明

適格請求書発行事業者が提供した電子データを電磁的に保存しようとする場合には、一定の要件を満たした状態で保存する必要があります。

参考：法57の4①⑤、基通1－8－2

Q－20 適格請求書の記載事項の誤り

判 定 事 例	判 定
交付した適格請求書の記載事項に誤りがあった場合、相手方（課税事業者に限ります。）に対して、修正した適格請求書を交付する必要がありますか？	あります

 補足説明

記載事項に誤りがある適格請求書の交付を受けた事業者は、仕入税額控除を行うために、売手である適格請求書発行事業者に対して修正した適格請求書の交付を求め、その交付を受ける必要があります（自ら追記や修正を行うことはできません。）。

しかし、買手である課税事業者が作成した一定事項の記載のある仕入明細書等の書類で、売手である適格請求書発行事業者の確認を受けたものについても、仕入税額控除の適用のために保存が必要な請求書等に該当しますので、買手において適格請求書の記載事項の誤りを修正した仕入明細書等を作成し、売手である適格請求書発行事業者の確認を受けた上で、その仕入明細書等を保存することもできます。

参考：法57の4④⑤、消法30⑨三

Q−21　対価を前受けした場合の適格請求書の交付時期

判 定 事 例	判 定
システム保守を業としている者が、定期保守について、1年間分をまとめて保守開始前に相手方から支払ってもらい、当該代金請求時において請求書を交付している場合、適格請求書等保存方式の下では、この請求書を適格請求書として取り扱ってもよいですか？	 **はい**

 **補足説明**

適格請求書発行事業者には、国内において課税資産の譲渡等を行った場合に、相手方（課税事業者に限ります。）からの求めに応じて適格請求書を交付する義務が課されていますが、課税資産の譲渡等を行う前であっても、適格請求書を交付することは可能です。

参考：法57の4①

Q−22　資産の譲渡等の時期の特例と適格請求書の交付義務

判 定 事 例	判 定
工事の請負に係る資産の譲渡等の時期の特例（工事進行基準）など、資産の譲渡等の時期の特例を適用した場合、適格請求書の交付は必要でしょうか？	 **必要ありません**

 **補足説明**

工事の請負に係る資産の譲渡等の時期の特例（工事進行基準）（法17）など、資産の譲渡等の時期の特例により、資産の譲渡等を行ったものとみなされるものについては、適格請求書の交付を要しないこととされています。

これは、当該資産の譲渡等の時期の特例により、原則的な資産の譲渡等の時期よりも前に課税売上げを計上した際、当該特例により資産の譲渡等を行ったものとみなされる部分について、適格請求書の交付を要しないこととされているものです。

したがって、原則的な資産の譲渡等の時期において、当該資産の譲渡等に係る適格請求書の交付を要しないこととしているものではありません。

このため、例えば、工事の請負に係る資産の譲渡等の時期の特例（工事進行基準）の適用を受ける工事の請負工事については、適格請求書発行事業者は、工事完成（引渡し）時に相手方（課税事業者に限ります。）からの求めに応じて適格請求書の交付義務が生じることとなります。

参考：法16〜18、57の4①、60②、令70の9①、74②

Q−23 ● 適格請求書の記載事項

判 定 事 例	判 定
事業者に対して飲食料品及び日用雑貨の卸売を行っている者が、軽減税率制度の実施後、買手の仕入税額控除のための請求書等の記載事項を満たす請求書を取引先に交付していたところ、適格請求書の記載事項を満たす請求書とするために追加すべき記載事項はありますか？	○ **あります**

補足説明

　適格請求書には、次の事項が記載されていることが必要です（区分記載請求書等保存方式における請求書等の記載事項に加え、1、4及び5の下線部分が追加されます。）。
1　適格請求書発行事業者の氏名又は名称及び<u>登録番号</u>
2　課税資産の譲渡等を行った年月日
3　課税資産の譲渡等に係る資産又は役務の内容（課税資産の譲渡等が軽減対象資産の譲渡等である場合には、資産の内容及び軽減対象資産の譲渡等である旨）
4　<u>課税資産の譲渡等の税抜価額又は税込価額を税率ごとに区分して合計した金額及び適用税率</u>
5　<u>税率ごとに区分した消費税額等</u>
6　書類の交付を受ける事業者の氏名又は名称

　　　　　　　　　　参考：法30⑨、57の4①、平28改法附34②

Q−24 ● 適格請求書発行事業者の氏名又は名称及び登録番号

判 定 事 例	判 定
取引先の名称に代えて、取引先と共有する取引先コード（取引先コード表により名称等の情報を共有しています。）を請求書に記載している場合、取引先コードの内容に登録番号を追加することにより、適格請求書の記載事項を満たすことになりますか？	○ 買手においても取引先コードから登録番号が確認できる場合には、適格請求書の記載事項を満たすことになります

　　　　　　　　　　参考：法57の4①一、基通1−8−3

Q−25 ● 所有権移転外ファイナンス・リース取引で賃借人が賃貸借処理した場合の適格請求書の保存

判 定 事 例	判 定
所有権移転外ファイナンス・リース取引については、リース資産の譲渡時に適格請求書の交付義務が生じるとのことですが、当該リース取引につき賃借人が賃貸借処理し、そのリース料について支払うべき日の属する課税期間における課税仕入れとして処理（分割控除）している場合、リース譲渡時に交付を受ける適格請求書の保存により仕入税額控除の適用を受けることができますか？	 **できます**

Q−26 ● 金融機関の入出金手数料や振込手数料に係る適格請求書の保存方法

判 定 事 例	判 定
金融機関の窓口又はオンラインで決済を行った際の金融機関の入出金手数料や振込手数料についても、原則として適格簡易請求書及び一定の事項が記載された帳簿の保存が必要となりますか？	 **必要です**

補足説明　　金融機関における入出金や振込みが多頻度にわたるなどの事情により、全ての入出金手数料及び振込手数料に係る適格簡易請求書の保存が困難なときは、金融機関ごとに発行を受けた通帳や入出金明細等（個々の課税資産の譲渡等（入出金サービス・振込サービス）に係る取引年月日や対価の額が判明するものに限ります。）と、その金融機関における任意の一取引（一の入出金又は振込み）に係る適格簡易請求書を併せて保存することで、仕入税額控除を行って差し支えありません。

参考：消法30⑦

Q−27 電気通信利用役務の提供と適格請求書の保存

判 定 事 例	判 定
次の場合は、仕入税額控除を行うために適格請求書の保存は必要ですか？ ① 国外事業者との間でリバースチャージ方式の対象となる取引（インターネット広告の配信）を行っている場合 ② 消費者向け電気通信利用役務の提供に該当する取引（電子書籍の購入）を行っている場合	① 必要ありません ②  必要です

 補足説明

リバースチャージ方式により申告・納税を行う消費税額については、仕入税額控除の対象となりますが、その適用要件として適格請求書の保存は必要なく、一定の事項が記載された帳簿のみの保存で仕入税額控除が可能となります。

参考：消法5①、28②、30⑦、45①

Q−28 高速道路利用料金に係る適格簡易請求書の保存方法

判 定 事 例	判 定
当社では高速道路利用について、いわゆるＥＴＣシステムを利用し、後日、クレジットカードにより料金を精算しています。この場合、クレジットカード会社から受領するクレジットカード利用明細書の保存により仕入税額控除を行うことはできますか。	 できません

 補足説明

クレジットカード会社がそのカードの利用者に交付するクレジットカード利用明細書は、そのカード利用者である事業者に対して課税資産の譲渡等を行った他の事業者が作成及び交付する書類ではなく、また、課税資産の譲渡等の内容や適用税率など、適格請求書の記載事項も満たしませんので、一般的に、適格請求書には該当しません。

そのため、高速道路の利用について、有料道路自動料金収受システム（ＥＴＣシステム）により料金を支払い、ＥＴＣクレジットカードで精算を行った場合に、支払った料金に係る仕入税額控除の適用を受けるには、原則、高速道路会社が運営するホームページ（ＥＴＣ利用照会サービス）から通行料金確定後、適確簡易請求書の記載事項に係る電磁的記録（利用証明書）をダウンロードし、それを保存する必要があります。

他方、高速道路の利用が多頻度にわたるなどの事情により、全ての高速道路の利用に係る利用証明書の保存が困難なときは、クレジットカード会社から受領するクレジットカード利用明細書と、利用した高速道路会社等の任意の一取引（複数の高速道路会社等の利用がある場合、高速道路会社等ごとに任意の一取引）に係る利用証明書をダウンロードし、併せて保存することで、仕入税額控除を行って差し支えありません。

Q−29　適格簡易請求書の記載事項

判 定 事 例	判 定

　小売業などは、適格請求書の交付に代えて、記載事項を簡易なものとした適格簡易請求書を交付する場合、「書類の交付を受ける事業者の氏名又は名称」の記載は必要ですか？

記載不要です

　補足説明

　具体的な記載事項は、次のとおりです。
1　適格請求書発行事業者の氏名又は名称及び登録番号
2　課税資産の譲渡等を行った年月日
3　課税資産の譲渡等に係る資産又は役務の内容（課税資産の譲渡等が軽減対象資産の譲渡等である場合には、資産の内容及び軽減対象資産の譲渡等である旨）
4　課税資産の譲渡等の税抜価額又は税込価額を税率ごとに区分して合計した金額
5　税率ごとに区分した消費税額等又は適用税率（※）
※　「税率ごとに区分した消費税額等」と「適用税率」を両方記載することも可能です。

参考：法30⑨、57の4①②、令70の11、平28改法附34②

Q−30　適格請求書と仕入明細書を一の書類で交付する場合

判 定 事 例	判 定

　自ら作成した仕入明細書を相手方の確認を受けた上で請求書等として保存し、その仕入明細書には、自らが行った商品の配送について、配送料として記載し、仕入金額から控除しており、これを自らの売上げとして計上している場合、仕入明細書とは別にその配送料に係る適格請求書を相手方に交付する必要がありますか？

あります

参考：法57の4①、令49④

Q−31 ● 一定期間の取引をまとめた請求書の交付

判 定 事 例	判 定

取引の都度、取引先に商品名を記載した納品書を交付するとともに、請求については1か月分をまとめて、取引に係る納品書番号及び税率ごとの税込金額を記載した請求書を交付している場合、納品書に請求書で不足する適格請求書の記載事項を補完することで、適格請求書の記載事項を満たすことになりますか？

なります

参考：基通1−8−1

Q−32 ● 令和5年9月30日以前の請求書への登録番号の記載

判 定 事 例	判 定

令和3年10月に登録申請書を提出し、適格請求書等保存方式が開始される前（令和5年9月30日以前）に登録番号が通知された場合、令和5年9月30日以前に行った取引に関する請求書に登録番号を記載しても差し支えありませんか？

差し支えありません

参考：法57の4①、平28改法附34②

Q−33 ● 登録日から登録の通知を受けるまでの間の取扱い

判 定 事 例	判 定

適格請求書発行事業者の登録を受けた事業者に対しては、その旨が書面等で通知されるそうですが、登録日から通知を受けるまでの間の取引については、既に請求書（区分記載請求書等の記載事項である「税率ごとに合計した課税資産の譲渡等の税込価額」を記載しており、「税率ごとに区分した消費税額等」の記載はありません。）を交付しています。

この場合、改めて、適格請求書の記載事項を満たした書類を交付しなければいけませんか。

交付する必要はありません

 補足説明 通知を受けた後、登録番号や税率ごとに区分した消費税額等を記載し、適格請求書の記載事項を満たした請求書を改めて相手方に交付する必要がありますが、通知を受けた後に登録番号などの適格請求書の記載事項として不足する事項を相手方に書面等（注）で通知することで、既に交付した請求書と合わせて適格請求書の記載事項を満たすことができます。

（注）　既に交付した書類との相互の関連が明確であり、書面等の交付を受ける事業者が適格請求書の記載事項を適正に認識できるものに限ります。

参考：基通1－7－3

Q－34　令和5年10月1日前後の取引に係る適用関係

判　定　事　例	判　定
令和5年10月1日前後の取引において、売手における売上げの計上時期と買手における仕入れの計上時期が異なる場合、具体的には、機械装置の販売取引において、売手が出荷基準により令和5年9月に課税売上げを計上し、買手が検収基準により令和5年10月に課税仕入れを計上するような場合、買手から当該取引について適格請求書の交付を求められると、当該取引に係る適格請求書の交付する義務はありますか？	　ありません

 補足説明 売手における課税売上げの計上時期（課税資産の譲渡等の時期）が令和5年9月となる取引については、買手は区分記載請求書等保存方式により仕入税額控除の適用を受けることができます。

Q－35　消費税額等の端数処理

判　定　事　例	判　定
適格請求書には、税率ごとに区分した消費税額等の記載が必要となるそうですが、消費税等を計算する際の1円未満の端数処理は一の適格請求書につき税率ごとに1回行うことになりますか？	なります

 補足説明 切上げ、切捨て、四捨五入などの端数処理の方法については、任意の方法とすることができます。

参考：令70の10、基通1－8－15

Q−36 ● 複数書類で適格請求書の記載事項を満たす場合の消費税額等の端数処理

判 定 事 例	判 定
① 商品の納品の都度、取引先に納品書を交付し会社の名称、商品名、納品書ごとの合計額を記載している場合、納品書に税率ごとに区分して合計した税込価額、適用税率と納品書ごとに計算した消費税額等の記載を追加するとともに、請求書に登録番号の記載を追加すれば、納品書と請求書を合わせて適格請求書の記載事項を満たすことになりますか？	 なります
② ①の場合、端数処理は、納品書につき税率ごとに１回の端数処理を行うこととなりますか？	 なります

補足説明

納品書に「税率ごとに区分した消費税額等」を記載するため、納品書につき税率ごとに１回の端数処理を行うこととなります。

請求書

㈱○○御中　　××年11月１日

10月分（10/１〜10/31）
109,200円（税込）

納品書番号	金額
No.0011	12,800円
No.0012	5,460円
No.0013	5,480円
⋮	⋮
合計	109,200円

△△商事㈱
登録番号　T1234567890123

納品No.0013　納品書
㈱○○御中　　　　　　　△△商事㈱

納品No.0012　納品書
㈱○○御中　　　　　　　△△商事㈱

納品No.0011　納品書
㈱○○御中　　　　　　　△△商事㈱

下記の商品を納品いたします。
××年10月１日

品名	金額
牛肉　　　※	5,400円
じゃがいも※	2,300円
割り箸	1,100円
ビール	4,000円
合計	12,800円
10％対象	5,100円（消費税464円）
8％対象	7,700円（消費税570円）

※は軽減税率対象商品

「税率ごとに区分した消費税額等」
※端数処理は納品書につき税率ごとに１回

（参考）
　この場合、請求書に「税率ごとの消費税額等」の記載は不要ですが、納品書に記載した消費税額等の合計額を記載しても差し支えありません。
例）合計109,200円（消費税８％：3,200円／10％：6,000円）
　　合計109,200円（消費税9,200円）等

参考：基通１−８−１

Q−37 一括値引がある場合の適格簡易請求書の記載

小売業（スーパーマーケット）を営む事業者ですが、飲食料品と飲食料品以外のものを同時に販売した際に、合計金額（税込み）から1,000円の値引きができる割引券を発行しています。

顧客が割引券を使用し、値引きを行った場合、発行する適格簡易請求書であるレシート等の「課税資産の譲渡等の税抜価額又は税込価額を税率ごとに区分して合計した金額」は、値引き後のものを明らかにする必要がありますか？

あります

補足説明　税率ごとに区分された値引き前の課税資産の譲渡等の税抜価額又は税込価額と税率ごとに区分された値引額がレシート等において明らかとなっている場合は、これらにより値引き後の課税資産の譲渡等の税抜価額又は税込価額を税率ごとに区分して合計した金額が確認できるため、このような場合であっても、値引き後の「課税資産の譲渡等の税抜価額又は税込価額を税率ごとに区分して合計した金額」が明らかにされているものとして取り扱われます。

Q−38 ● 立替金

判　定　事　例	判　定

取引先に経費を立て替えてもらう場合に、経費の支払先から交付される適格請求書には立替払をした取引先の名称が記載されますが、取引先からこの適格請求書を受領し、保存しておけば、仕入税額控除のための請求書等の保存要件を満たすこととなりますか？

✕

満たしません

 補足説明

立替払を行った取引先から、立替金精算書等の交付を受けるなどにより、経費の支払先から行った課税仕入れが貴社のものであることが明らかにされている場合には、その適格請求書及び立替金精算書等の書類の保存をもって、貴社は、経費の支払先からの課税仕入れに係る請求書等の保存要件を満たすこととなります。

なお、この場合、立替払を行う取引先が適格請求書発行事業者以外の事業者であっても、経費の支払先が適格請求書発行事業者であれば、仕入税額控除を行うことができます。

また、立替払の内容が、請求書等の交付を受けることが困難であるなどの理由により、一定の事項を記載した帳簿のみの保存で仕入税額控除が認められる課税仕入れに該当することが確認できた場合は、一定の事項を記載した帳簿を保存することにより仕入税額控除を行うことができます。この場合、適格請求書及び立替金精算書等の保存は不要となります。

おって、貴社の従業員が立替払いを行った場合は、貴社に所属していることが明らかとなる名簿や当該名簿の記載事項に係る電磁的記録（以下「従業員名簿等」といいます。）の保存が併せて行われているのであれば、宛名に従業員名が記載された適格簡易請求書と、当該従業員名簿等の保存をもって、貴社は当該消耗品費に係る請求書等の保存要件を満たすこととして、仕入税額控除を行うこととして差し支えありません。

参考：基通11−6−2

Q−39 ● 帳簿のみの保存での仕入税額控除の要件

判　定　事　例	判　定

適格請求書等保存方式の下では、帳簿及び請求書等の保存が仕入税額控除の要件ですが、次の取引は、一定の事項を記載した帳簿のみの保存で仕入税額控除の要件を満たしますか？

① 適格請求書の交付義務が免除される３万円未満の公共交通機関による旅客の運送

◯

満たします

② 適格簡易請求書の記載事項（取引年月日を除きます。）が記載されている入場券等が使用の際に回収される取引（①に該当するものを除きます。）

満たします

③ 古物営業を営む者の適格請求書発行事業者でない者からの古物（古物営業を営む者の棚卸資産に該当するものに限ります。）の購入

満たします

④ 質屋を営む者の適格請求書発行事業者でない者からの質物（質屋を営む者の棚卸資産に該当するものに限ります。）の取得

満たします

⑤ 宅地建物取引業を営む者の適格請求書発行事業者でない者からの建物（宅地建物取引業を営む者の棚卸資産に該当するものに限ります。）の購入

満たします

⑥ 適格請求書発行事業者でない者からの再生資源及び再生部品（購入者の棚卸資産に該当するものに限ります。）の購入

満たします

⑦ 適格請求書の交付義務が免除される３万円未満の自動販売機及び自動サービス機からの商品の購入等

満たします

⑧ 適格請求書の交付義務が免除される郵便切手類のみを対価とする郵便・貨物サービス（郵便ポストに差し出されたものに限ります。）

満たします

⑨ 従業員等に支給する通常必要と認められる出張旅費等（出張旅費、宿泊費、日当及び通勤手当）

満たします

 補足説明

この場合、帳簿の記載事項に関し、通常必要な記載事項に加え、次の事項の記載が必要となります。
・帳簿のみの保存で仕入税額控除が認められるいずれかの仕入れに該当する旨
　例：①に該当する場合、「３万円未満の鉄道料金」
　　　⑦に該当する場合、「自販機」、「ATM」
・仕入れの相手方の住所又は所在地
　例：②に該当する場合（３万円以上のもの）、「○○施設　入場券」

参考：法30⑦、令49①、規15の4

Q－40 ● 適格請求書等保存方式の帳簿の記載事項

判 定 事 例	判 定
次の事項は、仕入税額控除の要件として保存が必要な帳簿の記載事項になりますか？ ① 課税仕入れの相手方の氏名又は名称	 なります
② 課税仕入れを行った年月日	○ なります
③ 課税仕入れに係る資産又は役務の内容（課税仕入れが他の者から受けた軽減対象課税資産の譲渡等に係るものである場合には、資産の内容及び軽減対象資産の譲渡等に係るものである旨）	○ なります
④ 課税仕入れに係る支払対価の額	○ なります

参考：法30⑧、平28改法附34②、基通11－6－1

Q－41 ● 適格請求書発行事業者公表サイトの検索結果とレシートの表記が異なる場合

判 定 事 例	判 定
屋号が記載されたレシートの交付を受けましたがレシートに記載された登録番号に基づき、「国税庁適格請求書発行事業者公表サイト」にて検索した結果、事業者の氏名又は名称のみが表示され、屋号は表示されませんでした。このような場合、仕入税額控除の適用を受けてよいのでしょうか？	 受けられます

補足説明　取引先から受領したレシートに記載されている登録番号の有効性が確認できれば、一義的には有効な適格請求書等として取り扱うこととして差し支えありません。

Q－42　出張旅費、宿泊費、日当等

判 定 事 例	判 定

　社員に支給する国内の出張旅費、宿泊費、日当等については、社員は適格請求書発行事業者ではないため、適格請求書の交付を受けることができませんが、仕入税額控除を行うことはできますか？

できます

　補足説明　　社員に支給する出張旅費、宿泊費、日当等のうち、その旅行に通常必要であると認められる部分の金額については、課税仕入れに係る支払対価の額に該当するものとして取り扱われます。この金額については、一定の事項を記載した帳簿のみの保存で仕入税額控除が認められます。

参考：法30⑦、令49①一二、規15の4二、基通11－6－4

Q－43　一定規模以下の事業者に対する事務負担の軽減措置

判 定 事 例	判 定

　基準期間における課税売上高が1億円以下又は特定期間における課税売上高が5千万円以下である事業者が、令和5年10月1日から令和11年9月30日までの間に国内において行う課税仕入れについて、当該課税仕入れに係る支払対価の額（税込み）が1万円未満である場合には、一定の事項が記載された帳簿のみの保存により、当該課税仕入れについて仕入税額控除の適用を受けることができる経過措置（少額特例）が設けられていますか？

はい

参考：法2①十四、9の2④、平28改法附53の2、平30改令附24の2①

Q－44　一定規模以下の事業者に対する事務負担の軽減措置における１万円未満の判定単位

判　定　事　例	判　定
一定規模以下の事業者に対する事務負担の軽減措置（少額特例）については、１万円未満の課税仕入れが対象とのことですが、課税仕入れに係る一商品ごとの金額により判定すればいいですか？	一回の取引の課税仕入れに係る金額（税込み）が１万円未満かどうかで判定します

参考：平28改法附53の２、平30改令附24の２

Q－45　小規模事業者に係る税額控除に関する経過措置〈２割特例〉

判　定　事　例	判　定
適格請求書等保存方式の開始後一定期間は、適格請求書発行事業者の登録により課税事業者となった免税事業者について、何か経過措置が設けられていますか？	はい

　補足説明

　令和５年10月１日から令和８年９月30日までの日の属する各課税期間において、免税事業者（免税事業者が「消費税課税事業者選択届出書」の提出により課税事業者となった場合を含みます。）が適格請求書発行事業者となる場合（注）には、納付税額の計算において控除する金額を、その課税期間における課税標準である金額の合計額に対する消費税額から売上げに係る対価の返還等の金額に係る消費税額の合計額を控除した残額に８割を乗じた額とすることができる経過措置（以下「２割特例」といいます。）が設けられています。

(注)　課税事業者が適格請求書発行事業者となった場合であっても、当該適格請求書発行事業者となった課税期間の翌課税期間以後の課税期間について、基準期間の課税売上高が１千万円以下である場合には、原則として、２割特例の適用を受けることができます。

参考：平28改法附51の２①②③

Q－46 ● ２割特例の適用ができない課税期間

判 定 事 例	判 定
消費税課税事業者選択届出書の提出により納税義務の免除が制限されている場合であっても小規模事業者に係る税額控除に関する経過措置（２割特例）の適用を受けられない場合はありますか？	**あります**

 補足説明

　　令和５年10月１日より前から「消費税課税事業者選択届出書」の提出により引き続き課税事業者となる同日を含む課税期間（注）、つまり、適格請求書等保存方式の開始前である令和５年９月30日以前の期間を含む課税期間の申告については、２割特例の適用を受けることはできません。

（注）　適格請求書発行事業者の登録申請書を提出した事業者であって、「消費税課税事業者選択届出書」の提出により令和５年10月１日を含む課税期間から課税事業者となる事業者については、当該課税期間中に「消費税課税事業者選択不適用届出書」を提出することにより、「消費税課税事業者選択届出書」を失効させることができます。

　　この場合、当該登録申請書の提出により、適格請求書発行事業者となった場合においては、登録日から課税事業者となり、当該課税事業者となった課税期間から２割特例を適用できることとなります。

参考：平28改法附51の２①⑤

Q－47 ● ２割特例を適用した課税期間後の簡易課税制度の選択

判 定 事 例	判 定
小規模事業者に係る税額控除に関する経過措置（２割特例）の適用を受けていましたが、翌課税期間から２割特例が適用できなくなるため、簡易課税制度の適用を受けたいのですが、翌課税期間中に納税地を所轄する税務署長にその課税期間から簡易課税制度の適用を受ける旨を記載した「消費税簡易課税制度選択届出書」を提出すればよいのでしょうか？	**はい**

参考：平28改法附51の２⑥

Q−48 免税事業者等からの仕入れに係る経過措置

判 定 事 例	判 定

適格請求書等保存方式の開始後一定期間は、免税事業者等からの仕入税額相当額の一定割合を控除できる経過措置がありますか？

あります

 補足説明

　適格請求書等保存方式の下では、適格請求書発行事業者以外の者（消費者、免税事業者又は登録を受けていない課税事業者。以下「免税事業者等」といいます。）からの課税仕入れについては、仕入税額控除のために保存が必要な請求書等の交付を受けることができないことから、仕入税額控除を行うことができません。

　ただし、適格請求書等保存方式開始から一定期間は、免税事業者等からの課税仕入れであっても、一定の事項が記載された帳簿及び請求書等の保存があれば仕入税額相当額の一定割合を仕入税額とみなして控除できる経過措置が設けられています。（注）

　経過措置を適用できる期間等は、次のとおりです。

期　　間	割　　合
令和 5 年10月 1 日から令和 8 年 9 月30日まで	仕入税額相当額の80%
令和 8 年10月 1 日から令和11年 9 月30日まで	仕入税額相当額の50%

（注）　令和 6 年度税制改正により、一の免税事業者等から行う当該経過措置の対象となる課税仕入れの額の合計額がその年又はその事業年度で税込み10億円を超える場合には、その超えた部分の課税仕入れについて、本経過措置は適用できないこととする見直しが行われました（この改正は、令和 6 年10月 1 日以後に開始する課税期間から適用されます。）。

参考：消法30⑦、平28改法附52、53

第12章 簡易課税制度

Q−1 簡易課税制度

判 定 事 例	判 定
簡易課税制度の適用を受けるためには、「消費税簡易課税制度選択届出書」を提出する必要がありますか？	あります

参考：法37

Q−2 簡易課税制度とその他の税額控除との関係

判 定 事 例	判 定
簡易課税制度において、当課税期間において課税資産の譲渡等に係る売掛金について貸倒れが発生した場合、消費税額の控除はできますか？	控除できます

参考：法39

Q−3 ● 簡易課税制度を選択した場合の届出書の効力存続期間

判 定 事 例	判 定

令和4年分の課税売上高が、5,000万円以下であったため、令和6年から簡易課税制度を選択している木造建築業を営む12月末決算法人の令和4年以降の課税売上高は次のとおりであった場合、令和6年以降は、簡易課税制度を適用できますか？

なお、「消費税簡易課税制度選択届出書」は令和4年5月10日に所轄税務署長へ提出しています。

令和4年	課税売上高	4,800万円
令和5年	課税売上高	6,000万円
令和6年	課税売上高	4,500万円
令和7年	課税売上高	8,000万円
令和8年		

① 令和6年

② 令和7年

③ 令和8年

簡易課税制度を
適用します

✖

簡易課税制度は
適用できません

簡易課税制度を
適用します

参考：法37、基通13−1−3

215

Q－4 ●決算期を変更した場合の基準期間

　簡易課税制度を選択している法人が、次表のように9月末決算（自10月1日至9月30日）から決算期を3月末決算（自4月1日至3月31日）に変更した場合、令和7年3月期（令和6年4月1日～令和7年3月31日）も簡易課税制度の適用はできますか？

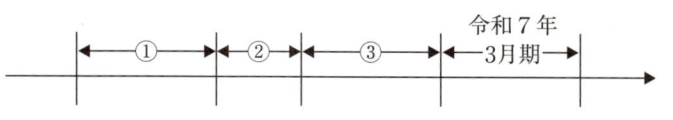

年度 ＼ 区分	事業年度 （事業年度の月数）	税抜課税売上高
① 令和4年9月期	自令和3年10月1日 至令和4年9月30日 （12か月）	円 40,000,000
② 令和5年3月期	自令和4年10月1日 至令和5年3月31日 （6か月）	27,000,000
③ 令和6年3月期	自令和5年4月1日 至令和6年3月31日 （12か月）	49,000,000

基準期間は令和5年3月期の6か月間となり、基準期間が1年でない場合の課税売上高の計算により、それが5,000万円を超えるため、簡易課税制度の適用はできません

補足説明　基準期間が1年でない場合の「基準期間における課税売上高」は、その基準期間における税抜課税売上高（売上げに係る税抜対価の返還等の金額を控除した後の金額）をその期間の月数で除し、これに12を乗じて1年分に換算した金額となります。

参考：法2①十四、9①②、37

Q−5 ● 新設法人と簡易課税制度

判　定　事　例	判　定

令和6年6月に設立した株式会社（設立登記：令和6年6月1日、資本金：5,000万円、事業年度：1月1日〜12月31日）の場合、消費税法第12条の2の規定により、第1事業年度（自令和6年6月1日至令和6年12月31日課税期間）及び第2事業年度（自令和7年1月1日至令和7年12月31日課税期間）は、課税事業者に該当することになりますが、次の場合はどのようになりますか？

① 第1事業年度及び第2事業年度において、簡易課税制度を適用することはできますか？

適用できます

② 第3事業年度（自令和8年1月1日至令和8年12月31日課税期間）について、課税事業者となるかどうかの判定は、第1事業年度（自令和6年6月1日至令和6年12月31日課税期間）の課税売上高が1,000万円を超えるかどうかで判定しますか？

その基準期間の課税売上高を当該事業年度の月数で除し、これに12を乗じて判定します

③ 第1事業年度から簡易課税制度を選択した場合、第3事業年度においてその選択を取りやめることはできますか？

できません

補足説明

第1事業年度の初日（令和6年6月1日）から2年を経過する日（令和8年5月31日）の属する課税期間の初日である令和8年1月1日から、「消費税簡易課税制度選択不適用届出書」を提出することができますが、「消費税簡易課税制度選択不適用届出書」の効力が発生するのは、早くとも第4事業年度からであり、第3事業年度においては、その選択を取りやめることはできません。

参考：法2①十四、9、12の2、37

Q−6 ● 合併法人が簡易課税制度を選択する場合の基準期間の課税売上高の計算

判 定 事 例	判 定
簡易課税制度の適用を受けている会社（合併法人）が、基準期間の課税売上高が5,000万円超の会社（被合併法人）を吸収合併した場合、簡易課税制度を適用はできますか？ 　なお、合併前の合併法人の基準期間の課税売上高は5,000万円以下です。	 **適用できます**

参考：法11①②、37①、基通13−1−2

Q−7 ● 分割があった場合と簡易課税制度

判 定 事 例	判 定
次の分割を行った場合、分割があった日（今期首４月１日）の属する課税期間から簡易課税制度の適用はできますか？ 　なお、A社、B社、分割子法人は全て３月末決算で、今期の基準期間における課税売上高はA社が4,500万円、B社が５億円です。 ① 　新設分割子法人（資本金が1,000万円）で、A社とA社の兄弟会社B社の事業の一部を承継し設立した場合	 **適用はできません**

 補足説明　新設分割子法人について、分割があった日の属する事業年度は、B社の基準期間における課税売上高が５億円で、5,000万円を超えていますから、簡易課税制度は適用できません。

② 　①の分割が吸収分割であった場合

選択できます

補足説明

吸収分割を行った場合、分割法人が簡易課税制度選択届出書を提出し簡易課税制度の適用を受けていたとしても、その効力は分割により事業を承継した分割承継法人には及びませんので、分割承継法人が簡易課税制度の適用を受けようとする場合には、新たに簡易課税制度選択届出書を提出しなければならないこととなります。

吸収分割により、簡易課税制度を受けていた分割法人の事業を承継した分割承継法人が、この分割があった日の属する課税期間中に簡易課税制度選択届出書を提出した場合、この課税期間は消費税法施行令第56条第1項第4号《吸収分割があった日の属する課税期間》に該当しますから、簡易課税制度を選択することができます。

ただし、分割承継法人が吸収分割があった日の属する課税期間の基準期間における課税売上高が1,000万円を超え、課税事業者に該当していた場合は、消費税法施行令第56条第1項第4号《吸収分割があった日の属する課税期間》に該当しませんので、簡易課税制度を選択することができません。　参考：法12、37、令23、24、55、56、基通13−1−3の4

Q−8 「固有事業者」と「受託事業者」の簡易課税制度の適用の判定

判 定 事 例	判 定
法人課税信託の受託者は、受託者が行う本来業務である固有資産等が帰属する「固有事業者」と信託財産が帰属する「受託事業者」としてそれぞれ申告することになりますが、簡易課税制度の適用を受ける場合の基準期間における課税売上高の判定は別々に行いますか？	行います

参考：法15

Q−9 第一種事業における「性質及び形状を変更しない」ことの意義

判 定 事 例	判 定
まぐろの卸売において、市場で購入したものの皮をはいだり、四ッ割にするなどして小売店へ販売するのが一般的ですが、このような取引状態で行う小売店に対する販売は、簡易課税制度において、第一種事業（卸売業）に該当しますか？	該当します

参考：法37、令57⑤⑥、基通13−2−2

Q−10 いわゆる製造問屋の事業区分

判 定 事 例	判 定
繊維製品の卸売業において、白生地を仕入れてこれを外注先に染色させた上で小売業者に納入する場合、簡易課税制度においては、第一種事業（卸売業）に該当しますか？	第三種事業に該当します

補足説明　いわゆる製造問屋に係る事業に該当することになり、製造業として、第三種事業に該当することになります。

参考：法37、令57⑤⑥、基通13−2−5

Q−11 食料品小売業における軽微な加工

判 定 事 例	判 定
簡易課税制度の第二種事業に該当する要件で、「他の者から購入した商品をその性質及び形状を変更しないで」というものがありますが、食料品の小売業においてハムをスライスしたり、数種の食品を詰め合わせセットにして小売するようなものは、「性質及び形状を変更」したことになりますか？	性質及び形状を変更したことにはなりません

参考：法37、令57⑥、基通13−2−3

Q−12 デパートのテナントと卸売業の範囲

判 定 事 例	判 定
デパートに次の契約内容で店舗を出店（手数料 ： 売上高の15％）している場合、簡易課税制度において、この店舗における売上げは、デパートに対する第一種事業に該当しますか？ ①　手数料契約の場合	第二種事業に該当します

② 商品販売契約の場合

第一種事業に
該当します

参考：法37、令57⑤⑥

Q-13 現金売上げと簡易課税制度における事業区分

判　定　事　例	判　定
スーパーマーケットにおいて、現金売上げがほとんどであるため、日々の売上げの合計で記帳し、販売相手の氏名や名称は当然省略している場合においても、販売相手が事業者であれば、第一種事業である旨を記録しておけば、卸売業のみなし仕入率（90％）を適用できますか？	 適用できません 適用するには、販売先が必ず事業者であることを客観的に明らかにしておくことが必要です

参考：法37、58、令57④、71、規27③

Q-14 塗装工事業に係る事業区分

判　定　事　例	判　定
建築物、鉄塔、鉄橋等の塗装工事業で、他者が調達した塗料を塗装するだけの場合は、加工賃等を対価する第四種事業に該当しますか？	 第四種事業に 該当します

補足説明

塗料等の資材を自ら調達する場合は、第三種事業に該当します。

参考：法37、令57⑤三、基通13-2-7

Q－15 不動産業者が行う取引と事業区分

判 定 事 例	判 定

不動産業において、次の取引は、第六種事業（不動産業）に該当しますか？

① 不動産売買の仲介

第六種事業に
該当します

② 建築された建物を売買契約により購入し、そのまま販売

第一種事業又は
第二種事業に
該当します

③ 自ら施主となり請負契約により他者に施工させた建物をそのまま販売

第三種事業に
該当します

④ 自ら所有する事務所を他者に賃貸

第六種事業に
該当します

参考：法37、令57⑤⑥、基通13－2－4、13－2－5⑵

Q－16 旅館業者における売上げと事業区分

判 定 事 例	判 定

旅館業において、次の売上げは、第五種事業に該当しますか？

① 1泊2食付30,000円の宿泊代

第五種事業に
該当します

② 宿泊代とは区分して領収する特別料理代

第四種事業に
該当します

③ 客室内冷蔵庫の酒、ジュース類の売上げ（宿泊代とは区
　分して領収）

第四種事業に
該当します

④ 土産物のコーナーにおける土産品の販売代金

第二種事業
又は第三種事業に
該当します

補足説明　　購入した商品をそのまま販売するものであれば、第二種事業、自ら製造又は加工して販売するものであれば、製造業として第三種事業に該当します。

⑤ 旅館内レストランの利用による売上げ（旅館の宿泊代と
　は区分して領収）

第四種事業に
該当します

参考：法37、令57⑤⑥、基通13－2－8の2

Q－17　印刷業者が行う取引と事業区分

判　定　事　例	判　定
印刷業において、次の取引は、第三種事業に該当しますか？ ① 紙を自己で調達して行う印刷	 第三種事業に 該当します

② 注文者から紙の無償支給を受けて行う印刷

第四種事業に
該当します

③ 印刷物の支給を受けて行う製本の請負

第四種事業に
該当します

参考：法37、令57⑤、基通13－2－4、13－2－7、13－2－8の3

Q－18 自動車整備業者等において行われるタイヤ交換等の事業区分

判　定　事　例	判　定

自動車のタイヤ交換やオイル交換等については、次の事業者において行われていますが、これらの事業者が行うタイヤ交換、オイル交換等に係る売上げの事業区分は第一種又は第二種に該当しますか？

　1　自動車整備業者
　2　自動車販売業者
　3　カー用品販売業者
　4　ガソリンスタンド

① 　タイヤ又はオイルの販売代金

第一種事業
又は第二種事業に
該当します

② 　タイヤ又はオイルの工賃

第五種事業に
該当します

③　請求金額は商品（タイヤ、オイル等）の代金のみで、工賃部分はサービス（無償）であると認められる場合

第一種事業又は第二種事業に該当します

参考：法37、令57⑤

Q−19 飲食物を提供する場合の事業区分

判　定　事　例	判　定
飲食店において、次の取引は第四種事業に該当しますか？ ①　ホテルでパーティが行われる際、主催者の依頼で会場に材料、調理器具等を持参し、模擬店方式で会場内で調理を行い、パーティ参加者に飲食物の提供を行う場合 ②　自ら会場使用料を支払って会場で飲食物を提供する場合	**第四種事業に該当します** **第四種事業に該当します**

参考：法37、令57⑤、基通13−2−8の2、13−2−8の3

Q−20 サービス料等の事業区分

判　定　事　例	判　定
飲食店において、料理代金とは別に、サービス料の名称でもらう料理代金の10％の金額や部屋代、テーブルチャージ等の料金については第四種事業に該当しますか？	**第四種事業に該当します**

Q-21 ● 事業用固定資産の売却収入の事業区分

判 定 事 例

　卸売業において、事業に使用していた固定資産を譲渡した場合、第一種事業に該当しますか？

判 定

第四種事業に
該当します

参考：法37、令57⑤⑥、基通13－2－9

Q-22 ● 2種以上の事業に係る課税売上げがある場合

判 定 事 例

　簡易課税制度において2種以上の事業に係る課税売上げがある場合、各取引を第一種事業から第六種事業に分けて、それぞれのみなし仕入率を適用するとのことですが、わずかなものまで区分してそれぞれのみなし仕入率を適用しなければならないのですか？

判 定

原則は区分する
必要があります

　特定の1種類の事業に係る課税売上高が課税売上高の合計額の75％以上を占める場合は、全ての課税売上げについて、その75％以上である事業に係るみなし仕入率を適用することができます。

参考：法37、令57②、③一、基通13－4－1

Q−23 ● 簡易課税制度における事業の区分方法

判 定 事 例	判 定

簡易課税制度において、第一種事業から第六種事業までの2以上の事業を営んでいる場合、原則として、それぞれの事業ごとに異なるみなし仕入率を適用することになりますが、次のような方法で課税売上高をそれぞれの事業の種類ごとに区分しても差し支えありませんか？

① 帳簿に事業の種類を記載する方法

差し支えありません
（事業の種類ごとに帳簿を分ける必要はありません）

② 納品書・請求書・売上伝票の控え等に事業の種類を記載し、かつ、その区分された事業の種類ごとの課税売上高を集計した記録を保存する方法

差し支えありません
（記号等による表示であっても事業の種類が判明するものであれば構いません）

③ レジペーパーに販売商品等の品番等が印字されるものについては、その印字により区分し、かつ、その区分された事業の種類ごとの課税売上高を集計した記録を保存する方法

差し支えありません

④ 事業場ごとに1種類の事業のみを行っている事業者においては、その事業場ごとに区分する方法

差し支えありません

参考：法37、令57②③、基通13−2−1、13−3−1、13−3−2

Q−24 簡易課税制度において事業の区分を行っていない場合

判 定 事 例	判 定

　簡易課税制度において、第一種事業から第六種事業までの区分を行っていない場合、主な事業のみなし仕入率を用いてもよいですか？

区分されていない課税売上げの全てについて、最も低いみなし仕入率に係る事業として、仕入れに係る消費税額の計算を行います

補足説明　この場合において、例えば、第一種事業に係る課税売上げと第二種事業に係る課税売上げとが区分できていない場合で、その課税売上高の合計が課税売上高全体の75%以上である場合は、第二種事業に係る課税売上高が、全体の75%以上であるものとして、特例を適用することが可能です。

参考：法37、令57④

Q−25 消費税法第37条の2の災害その他やむを得ない理由の範囲

判 定 事 例	判 定

　次の事項は、消費税法第37条の2《災害等があった場合の中小企業者の仕入れに係る消費税額の控除の特例の届出に関する特例》の規定にある「災害その他やむを得ない理由」に該当しますか？

①　地震、暴風、豪雨、豪雪、津波、落雷、地すべりその他の自然現象の異変による災害

○

該当します

②　火災、火薬類の爆発、ガス爆発、その他の人為による異常な災害

○

該当します

③ ①又は②に掲げる災害に準ずる自己の責めに帰さないやむを得ない事実

該当します

参考：法37の2、基通13－1－7

第13章 申告・納付・還付

Q−1 中間申告制度

判 定 事 例	判 定
消費税には中間申告制度がありますか？	あります 年11回、年３回及び年１回の中間申告制度が設けられています

参考：法42、地法72の87、地法附９の５

Q−2 仮決算による中間申告制度

判 定 事 例	判 定
仮決算による中間申告はできますか？	できます

参考：法43、地法72の87、地法附９の５

Q−3 ３か月中間申告対象期間において仮決算による申告額が100万円以下である場合の中間申告の要否

判 定 事 例	判 定
仮決算による中間申告税額が100万円以下になる３か月中間申告対象期間の中間申告は、不要ですか？ ・直前課税期間（12か月）の 　　消費税の申告税額　600万円 　　中間申告回数　　　年３回 ・仮決算による 　　中間申告税額　　　70万円	必要です

補足説明　たとえ仮決算により算出した消費税額が100万円以下となった場合であっても、中間申告は必要であることに変わりはありません。

参考：法42④、基通15－1－4、地法72の87

Q−4 ●仮決算により還付が生じた場合の中間申告

判 定 事 例	判 定
中間申告における仮決算において、課税標準額に対する消費税額より仕入れに係る消費税額の方が多くなった場合、中間申告で還付を受けることができますか？	 **できません**

参考：法43、基通15－1－5

Q−5 ●中間申告における原則法と仮決算の併用

判 定 事 例	判 定
年3回消費税の中間申告を行う場合において、季節変動が極めて激しく、仮決算による方が申告税額が少ないときと逆に多いときがあるような場合でも、年3回の中間申告は、いずれも原則的方法によるか、又は仮決算を選択できますか？	 **それぞれ選択できます**

参考：法42、43、基通15－1－2

Q−6 ●修正申告書が提出された場合の中間申告

判 定 事 例	判 定
中間申告書提出前に直前の課税期間の修正申告書を提出した場合の中間申告額は、修正申告後の額で計算しますか？	 **計算します**

参考：法42①④⑥

Q-7 ● 中間申告が必要な事業者

判 定 事 例	判 定
5月にこれまで営んでいた食料品小売業の営業権を譲渡し、サラリーマンになった場合、本年は中間申告をする義務はないですか？ 　なお、前年分の消費税及び地方消費税の確定申告で消費税78万円／地方消費税22万円を納付しています。	 中間申告及び納税の義務があります

参考：法42、地法72の87

Q-8 ● 課税売上げがない場合の中間申告納税義務

判 定 事 例	判 定
前課税期間の確定消費税額が78万円で、当課税期間は中間申告が必要な場合において、当課税期間の課税売上げが全くなく、仮決算を組んだとしても納付消費税額は発生しない場合は、中間申告をする必要はありませんか？	 あります

参考：法44、地法72の87、地令35の8

Q-9 ● 提出期限を徒過した場合の中間申告書

判 定 事 例	判 定
中間申告期限までに仮決算による中間申告書を作成することができず、中間申告書を提出できなかった場合は、仮決算による期限後申告はできますか？	 できません

 補足説明　消費税の中間申告の必要がある事業者が、その中間申告期限までに中間申告書（仮決算による中間申告書を含みます。）を提出しなかった場合には、消費税法上、その中間申告期限において、直前の課税期間の消費税額を基に算出した中間申告すべき税額により中間申告があったものとみなすこととされており、中間申告には期限後申告という概念はありません。

参考：法44、基通15-1-6

Q−10 任意の中間申告制度の概要

判 定 事 例	判 定
中間申告義務のない者でも任意で中間申告をすることができますか？	 できます

 補足説明

直前の課税期間の確定消費税額（地方消費税額は含まない年税額）が48万円以下の事業者（中間申告義務のない事業者）が、「任意の中間申告書を提出する旨の届出書」を納税地の所轄税務署長に提出した場合には、当該届出書を提出した日以後にその末日が最初に到来する6か月中間申告対象期間から、自主的に6か月中間申告・納付をすることができます。

参考：法42⑧

Q−11 任意の中間申告制度における納付税額

判 定 事 例	判 定
中間申告義務のない事業者が、「任意の中間申告書を提出する旨の届出書」を提出した場合中間納付額も直前の課税期間の確定消費税額から計算すればよいですか？	 直前の課税期間の確定消費税額の1／2の額となります

参考：法42⑧、基通15−1−2

Q−12 任意の中間申告制度を適用した事業者が中間申告書を期限までに提出しなかった場合の取扱い

判 定 事 例	判 定
中間申告義務のない事業者が、「任意の中間申告書を提出する旨の届出書」を提出した場合、当該事業者が中間申告書をその申告期限までに提出しなかったときは、中間申告を取りやめたことになりますか？	 なります

参考：法42⑪、44、基通15−1−1の2(注)、15−1−7

Q-13 法人税の確定申告期限延長と消費税

判 定 事 例	判 定

法人税確定申告については、法人税法第75条の2《確定申告書の提出期限の延長の特例》の規定により申告期限の1か月延長の特例がありますが、消費税及び地方消費税にもこのような申告期限の延長の特例はありますか？

あります

 補足説明　この法人税の申告期限の延長の特例の適用を受ける法人が、「消費税申告期限延長届出書」を提出した場合には、その提出した日の属する事業年度以後の各事業年度終了の日の属する課税期間に係る消費税の確定申告期限も、1か月延長することができる特例が設けられています。

参考：法45の2、法法75の2

Q-14 個人事業者の確定申告期限

判 定 事 例	判 定

個人事業者の場合、所得税の確定申告期限は、翌年3月15日ですが、消費税及び地方消費税の場合も同じ期限ですか？

**翌年の3月31日が
期限です**

参考：法45①、措法86の4①、地法72の88

Q-15 相続人の申告義務

判 定 事 例	判 定

A市（A税務署所轄）で喫茶店を経営の者が、令和6年5月にB市（B税務署所轄）で薬局を相続で事業を承継した場合（相続の開始があったことを知った日は5月11日）、被相続人の薬局の消費税の確定申告書はA税務署に提出すればよいですか？

B税務署です

 補足説明　相続の開始があったことを知った日の翌日から4か月を経過した日の前日である令和6年9月11日までにB税務署に消費税及び地方消費税の確定申告書を提出する必要があります。

参考：法45②③、59、地法72の88

Q−16 被相続人の事業を承継した場合の納税義務

判 定 事 例	判 定

前問に引き続き、令和5年分は、基準期間（令和3年分）の課税売上高が1,000万円であったため消費税の免税事業者でしたが、令和6年分も基準期間（令和4年分）の喫茶店売上げだけで判断しますか？

（相続人：喫茶店）

令和4年分 800万円	令和5年分 900万円	令和6年分 （X万円）	令和7年分	令和8年分
		(a)	(b)	(c)

（被相続人：薬局）

令和4年分 1,500万円	令和5年分 1,600万円	800万円

×

薬局売上げでも
判断します

 補足説明　相続があった年においては、相続人の基準期間における課税売上高又は被相続人の基準期間における課税売上高のいずれかが1,000万円を超える場合は、相続のあった日の翌日からその年の12月31日までの期間（図の（a）の課税期間）について消費税の納税義務は免除されません。

参考：法10、基通1−5−4

Q−17 設立1期目の還付申告

判 定 事 例	判 定

設立1期目の会社で、今期は開業準備のため創業費、開業費や機械、設備購入等の課税仕入れがあっただけで課税売上げがなかった場合、創業費などの課税仕入れについて、還付を受けることはできますか？

○

できます

 補足説明　消費税法第12条の2の「新設法人」に該当する場合、又は課税事業者を選択する旨の届出書を納税地の所轄税務署長に提出した場合は、将来の課税売上げに直接必要な機械や設備などの課税仕入れについて、仕入税額控除（還付）を受けることができます。参考：法9、12の2、30、37、基通11−1−7

Q−18 非居住者が提出した「消費税課税事業者選択届出書」の適用開始課税期間

判 定 事 例	判 定
日本国内において課税資産の譲渡等を行っていない非居住者が、日本国内で課税仕入れを行う場合において、初めて日本国内で課税仕入れを行った課税期間は、消費税法施行令第20条第1号に規定する「事業者が国内において課税資産の譲渡等に係る事業を開始した日の属する課税期間」に該当しますか？	 該当します

参考：法9④、令20一、基通1−4−7

第14章 国・地方公共団体等

Q-1 公益法人の申告単位

判 定 事 例	判 定

公益社団法人で、収益事業部門を特別会計とし、非収益事業部門を一般会計と区分経理をしている場合、消費税及び地方消費税の確定申告にあたり、このように会計単位を異にしている場合には、収益事業部門の特別会計についてのみ申告すればよいのですか？

その課税期間中に収益事業部門及び非収益事業部門において行った課税資産の譲渡等について、合計したところで申告をしなければなりません

参考：法4①、5①、9①、9の2、45①、60①⑦、地法72の78、72の88

Q-2 地方公共団体の特別会計

判 定 事 例	判 定

市町村では、水道事業や下水道事業、病院事業や交通事業など数多くの公営事業について、特別会計を設けているところが多いと思いますが、消費税法では国や地方公共団体の特別会計の申告義務について特例的な取扱いがありますか？

特別会計ごとに一の法人が行う事業とみなして消費税法が適用されますが、専ら一般会計に対して資産の譲渡等を行う特別会計は申告義務はありません

参考：法60①⑥、令72①、基通16－1－1

Q−3 ●資産の譲渡等の時期の特例

<table>
<tr><td>判 定 事 例</td><td>判 定</td></tr>
<tr><td>

　国や地方公共団体の会計は、予算決算及び会計令第１条の２及び第２条や地方自治法施行令第142条及び第143条によることになっており、これは一般企業のような企業会計原則や計算書類規則等とは異なっています。

　このような場合、消費税法上、資産の譲渡等の時期は一般企業と同じように取り扱わなければなりませんか？

</td><td>

資産の譲渡等又は課税仕入れ等の時期は、その対価を収納すべき又は費用を支出すべき会計年度の末日において行われたものとすることができます

</td></tr>
</table>

参考：法60②、令73

Q−4 ●地方公営企業の出資の金額の範囲

<table>
<tr><td>判 定 事 例</td><td>判 定</td></tr>
<tr><td>

　消費税法第12条の２《基準期間がない法人の納税義務の免除の特例》の規定では、設立当初の２年間について、資本金の額又は出資の金額が1,000万円以上である法人は、納税義務が免除されないこととなるとされていますが、地方公営企業も対象となりますか？

</td><td>

適用対象となります

</td></tr>
</table>

参考：法12の２、基通１−５−16

Q−5 ●特定収入の意義

<table>
<tr><td>判 定 事 例</td><td>判 定</td></tr>
<tr><td>

　公益社団法人の収入のうち、例えば、一般会費や会館建設特別積立金（将来建設予定の会館の建設費用に充てるため会員から徴収する負担金）などは特定収入となりますか？

</td><td>

対価性のない会費や負担金は特定収入となります

</td></tr>
</table>

参考：法60④、令75①

Q-6 公益法人における諸収入

判 定 事 例	判 定
公益財団法人における、次のような収入は、消費税の仕入控除税額を計算する場合、特定収入ですか？	

① 株式配当金

特定収入です

② 建物賃借に係る敷金・保証金の返還金

**特定収入とは
なりません**

③ 納品遅延を原因とした違約金

特定収入です

④ 預貯金の利子

**特定収入とは
なりません**

⑤ 割引債の償還金

**特定収入とは
なりません**

参考：法60④、令75、基通16-2-1

Q－7 　公益法人における仕入税額控除

判 定 事 例	判 定

　事業の一部として出版事業や宿泊施設の経営を行っている公益財団法人が、国や地方公共団体から補助金を収受したり、寄附金を受けたりした場合、仕入控除税額の計算において、その補助金や寄附金に係る消費税額を控除する必要がありますか？

あります

参考：法37、60④、令75③④

Q－8 　借入金の利子として使用することとされている補助金

判 定 事 例	判 定

　公益財団法人が、建物の建設資金の借入れを行った際、借入金の利子の支払に対して、地方公共団体から補助金が交付された場合、当該補助金は、特定収入以外の収入として取り扱うことになりますか？

特定収入以外の
収入となります

参考：法60④、令75①

Q－9 　特定収入割合の計算

判 定 事 例	判 定

　学校法人において、有価証券を譲渡した場合、特定収入割合の計算は、課税売上割合と同じように有価証券の譲渡対価の５％相当額が対価となりますか？

特定収入割合の計算
には有価証券の譲渡
対価の５％相当額を
資産の譲渡等の対価
の額とするなどの例
外規定は、定められ
ていません

参考：法60④、令48⑤、75③

Q-10 翌期に支出される負担金

判　定　事　例	判　定

収益事業としての賃貸収入がある公益社団法人が、会館を建設するため、会員から特別負担金を徴収し、会館の完成が翌課税期間となることにより、徴収した負担金を繰り越した場合、消費税法上、仕入控除税額の計算は、翌課税期間において行うことになりますか？

なお、特別負担金については、資産の譲渡等の対価に該当するかどうかの判定が困難なため、当法人及び会員ともに、資産の譲渡等の対価に該当しないものとして取り扱うこととします。

当課税期間における仕入控除税額の計算において調整することとなります

参考：法60④、令75①

Q-11 過去に行われた起債等の返済に充てるために収入した他会計からの繰入金等の使途の特定方法

判　定　事　例	判　定

① 借入金等（起債時に、返済のための補助金等の交付が予定されていないもの）を財源として行った事業について、その借入金等の返済又は償還のための補助金等が交付される場合に、補助金等の交付要綱等にその旨が記載されているときは、その補助金等は当該事業に係る経費のみに使用される収入として使途を特定することになりますか？

使途を特定します

② 「法令又は交付要綱等」又は「予算書、予算関係書類、決算書、決算関係書類」において、借入金等の返済費又は償還費のための補助金等とされているもの（①に該当するものを除く。）については、その補助金等の額に、借入金等に係る事業が行われた課税期間における支出のうちの課税仕入れ等の支出の額とその他の支出の額の割合を乗じて、課税仕入れ等の支出に対応する額とその他の支出に対応する額とに按分する方法によりその使途を特定することになりますか？

そのように使途を特定します

参考：法60④、令75、基通16-2-2

Q−12 ● 免税期間における起債の償還元金に充てるための補助金を収入した場合の調整計算

地方公共団体（特別会計）が、令和6年課税期間（自令和6年4月1日至令和7年3月31日課税期間）から、地方債（借入金）の償還を実施することとなり、一般会計から当該償還金に充てるための補助金（一般会計繰入金）の交付を受けた場合、このような補助金について仕入控除税額の調整計算が必要になりますか？

なお、当該地方債（借入金）は、免税事業者であった平成19年課税期間において借入れ、施設の修繕を行ったものです。

免税事業者である課税期間において行った起債等については、調整計算を行う必要はありません

参考：法60④、令75、基通16−2−2

Q−13 ● 地方公共団体の申告期限

消費税及び地方消費税の確定申告期限は、各課税期間の末日の翌日から2か月以内とされていますが、地方公共団体の消費税及び地方消費税の確定申告期限について、特例はありますか？

あります
地方公営企業法の決算の適用を受ける地方公共団体の経営する企業については、課税期間終了後3か月以内、それ以外の場合は、課税期間終了後6か月以内が申告期限です

参考：令76②二、三

Q-14　地方公営企業の中間申告期限

判 定 事 例	判 定
地方公営企業法第30条第1項《決算》の適用がある地方公営企業の特別会計の確定申告書は、課税期間の末日の翌日から3か月以内に提出することになっていますが、中間申告についても3か月以内に提出しなければなりませんか？	 各中間申告対象期間の末日の翌日から3か月以内に提出します ただし、直前課税期間の消費税額が4,800万円超の場合は、中間申告対象期間によって異なります

参考：法42①④⑥、令76③一、地法72の87

Q-15　地方公共団体の中間申告期限

判 定 事 例	判 定
地方公営企業法第30条第1項《決算》の適用がない地方公共団体の特別会計の確定申告書は、課税期間の末日の翌日から6か月以内に提出することになっていますが、中間申告についても6か月以内に提出しなければなりませんか？	 各中間申告対象期間の末日の翌日から6か月以内に提出します ただし、直前課税期間の消費税額が400万円超の場合は、中間申告対象期間によって異なります

参考：法42①④⑥、令76③四、地法72の87

第15章 経理処理

Q-1 ● 税込経理と税抜経理の併用

判 定 事 例	判 定
消費税及び地方消費税の経理処理の方法について、税込経理方式と税抜経理方式があるとのことですが、この両方式の併用は認められますか？	 両方式の併用は認められません

参考：平元.3.1直法2－1、平元.3.29直所3－8

Q-2 ● 免税事業者の消費税等の経理処理

判 定 事 例	判 定
当課税期間において、免税事業者に該当する場合でも、当課税期間において、税抜経理方式を採用することができますか？	 免税事業者は税込経理方式によって経理することになります

参考：平元.3.1直法2－1、平元.3.29直所3－8

Q-3 ● 期末における税抜処理

判 定 事 例	判 定
税込経理方式を採用している場合において、決算の際、税抜処理をして消費税の経理を行っても差し支えありませんか？	 差し支えありません

参考：平元.3.1直法2－1、平元.3.29直所3－8

Q－4 ● 税込経理方式の場合の消費税等の損金算入の時期

判 定 事 例	判 定
税込経理方式を採用している法人において、課税所得金額の計算に当たり、当事業年度分の課税資産の譲渡等に係る納付すべき消費税等の額は、当事業年度分の損金として経理することができますか？	 当事業年度分の消費税等として確定した決算において損金経理により未払金に計上したときに限り、損金の額に算入することができます

参考：平元.3.1直法2－1、法法2①二十五

Q－5 ● 控除対象外の仕入税額

判 定 事 例	判 定
税抜経理方式を採用している法人において、仕入れに係る消費税等のうち、非課税売上げに対応するものとして消費税及び地方消費税の納税額の計算上、控除されない部分の金額（控除対象外消費税額）は、次の場合、法人税の所得計算上、即時に損金算入することができますか？ ① 　課税売上割合が80％以上のとき、資産（棚卸資産を含みます。）に係る部分	 損金経理を条件にできます また、資産の取得価額に算入することもできます
② 　課税売上割合が80％以上のとき、経費に係る部分	 できます

③　課税売上割合が80％未満のとき、棚卸資産に係る部分

損金経理を条件に
できます
また、資産の取得価
額に算入することも
できます

④　課税売上割合が80％未満のとき、経費に係る部分

できます

参考：法令139の4

Q−6　税込経理方式の場合の交際費等

判　定　事　例	判　定
資本金２億円の株式会社が、消費税の経理処理について、税込経理方式を採用している場合、交際費については、税込処理又は税抜処理で法人税法上の取扱いが変わりますか？	 税込処理による方式が、税抜経理方式に比し課税所得金額が多くなります

参考：平元.3.1直法2−1

第16章　総額表示

Q-1 ● 「専ら他の事業者に課税資産の譲渡等を行う場合」の意義

判　定　事　例	判　定

　不特定かつ多数の者に対して課税資産の譲渡等を行う場合であっても、「専ら他の事業者に課税資産の譲渡等を行う場合」、例えば、建設機械の展示販売や事業用資産のメンテナンスといった取引は、総額表示義務の対象から除くことができますか？

○

およそ事業の用にしか供されないような資産や役務の取引であることが客観的に明らかな場合、総額表示義務の対象から除くことができます

参考：基通18-1-3

Q-2 ● 総額表示義務の対象となる価格の表示媒体

判　定　事　例	判　定

　次の価格表示は、総額表示が義務付けられますか？

① 　値札、商品陳列棚、店内表示などによる価格の表示

義務付けられます

② 　商品、容器又は包装による価格の表示及びこれらに添付した物による価格の表示

義務付けられます

③ 　チラシ、パンフレット、商品カタログ、説明書面その他これらに類する物による価格の表示（ダイレクトメール、ファクシミリ等によるものを含みます。）

義務付けられます

④　ポスター、看板（プラカード及び建物、電車又は自動車等に記載されたものを含みます。）、ネオン・サイン、アドバルーンその他これらに類する物による価格の表示

義務付けられます

⑤　新聞、雑誌その他の出版物、放送、映写又は電光による価格の表示

義務付けられます

⑥　情報処理の用に供する機器による価格の表示（インターネット、電子メール等によるものを含みます。）

義務付けられます

参考：基通18-1-7

Q-3 ●「希望小売価格」の取扱い

判　定　事　例	判　定
小売業者以外の者が小売業者の価格設定の参考となるものとして設定している、いわゆる「希望小売価格」については、総額表示が義務付けられますか？	 **義務付けられません**

参考：基通18-1-5

Q-4 ●単価、手数料率の取扱い

判　定　事　例	判　定
商品の単価、あるいは手数料率なども総額表示が義務付けられますか？	 **義務付けられます**

参考：基通18-1-4

Q−5 ● レシートや請求書における表示

判 定 事 例	判 定
レシートや請求書における表示について、総額表示の義務の対象となりますか？	対象とはなりません

参考：法63、基通18−1−7

Q−6 ● 値引販売における価格表示の取扱い

判 定 事 例	判 定
スーパーマーケット等において、特定の商品について一定の営業時間に限り価格の引下げを行ったり、又は生鮮食料品等について売れ残りを回避するために一定の営業時間経過後に価格の引下げを行ったりしますが、次のような場合にも総額表示の義務の対象となりますか？ ①　「〇割引き」あるいは「〇円引き」と表示 ②　値引後の価格を表示	 ① 　対象ではありません ② 　対象となります

参考：基通18−1−6

第17章 軽減税率制度の概要等

Q-1 ● 「軽減税率」の概要

判 定 事 例	判 定
次の品目の譲渡は、軽減税率の対象品目になりますか？ ① 飲食料品（酒類を除きます。）	 対象品目です
② 週2回以上発行される新聞（定期購読契約に基づくもの）	⭕ 対象品目です
③ 保税地域から引き取られる飲食料品	⭕ 対象品目です

参考：法2①九の二、十一の二、30①、57の2、57の4、法別表第一、法別表第一の二、平28改法附34①②、38〜40、44、平30改令附15、基通21-1-1

Q-2 ● 「飲食料品」の意義

判 定 事 例	判 定
次のものは、軽減税率が適用される「飲食料品の譲渡」の「飲食料品」に含まれますか？ ① 食品表示法に規定する「食品」（酒税法に規定する酒類を除きます。）	 含まれます

 補足説明　　「食品」とは、人の飲用又は食用に供されるものをいいます。

② 工業用として販売される塩など、人の飲用又は食用以外の用途で販売されるもの

含まれません

③ 「医薬品、医療機器等の品質、有効性及び安全性の確保等に関する法律」に規定する「医薬品」、「医薬部外品」及び「再生医療等製品」

含まれません

④ 食品衛生法に規定する添加物

含まれます

⑤ 食品と食品以外の資産が一体として販売されるもの（あらかじめ一の資産を形成し、又は構成しているものであって、当該一の資産に係る価格のみが提示されているものに限ります。）のうち、一定の要件を満たすもの

含まれます

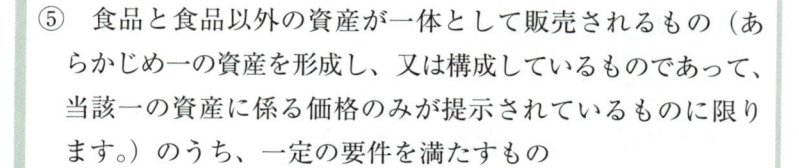

 補足説明　一定の要件とは、譲渡の対価の額（税抜価額）が1万円以下であって、食品に係る部分の価額の占める割合として合理的な方法により計算した割合が2／3以上のものであることをいいます。

参考：平28改令附2、基通5−9−4

⑥ いわゆる「外食」（食品衛生法施行令に規定する飲食店営業、喫茶店営業その他の飲食料品をその場で飲食させる事業を営む者が行う食事の提供）

含まれません

⑦ いわゆる「ケータリング」（相手方の指定した場所において行う加熱、調理又は給仕等の役務を伴う飲食料品の提供）

含まれません

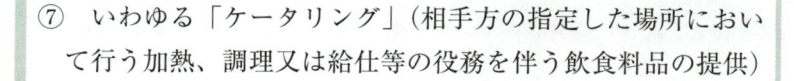

参考：法2①九の二、法別表第一第1号、令2の4

Q-3 ● コーヒーの生豆の販売

判 定 事 例	判 定
コーヒーの生豆の販売は、軽減税率の適用対象になりますか？	○ 適用対象です

参考：法２①九の二、法別表第一第１号、基通５－９－１

Q-4 ● 苗木、種子の販売

判 定 事 例	判 定
果物の苗木及びその種子の販売は、軽減税率の適用対象になりますか？ ①　果物の苗木など栽培用として販売される植物及びその種子	✕ 適用対象外です
②　おやつや製菓の材料用など、人の飲用又は食用に供されるものとして販売されるかぼちゃの種など	○ 適用対象です

参考：法２①九の二、法別表第一第１号、基通５－９－１

Q-5 ● 水の販売

判 定 事 例	判 定
水の販売は、軽減税率の適用対象になりますか？ ①　ミネラルウォーター	○ 適用対象です

② 水道水

適用対象外です

補足説明

水道水をペットボトルに入れて、人の飲用に供される「食品」として販売する場合を除き、軽減税率の適用対象となりません。

参考：法2①九の二、法別表第一第1号、基通5-9-1

Q-6 ウォーターサーバーのレンタル及びウォーターサーバー用の水の販売

判 定 事 例	判 定

ウォーターサーバーのレンタル及びウォーターサーバーで使用する水の販売は、軽減税率の適用対象になりますか？

① ウォーターサーバーのレンタル

適用対象外です

② ウォーターサーバー用の水の販売

適用対象です

参考：基通5-9-1

Q-7 食品の原材料となる酒類の販売

判 定 事 例	判 定

「食品」の原材料となるワインなど酒類の販売は、軽減税率の適用対象になりますか？

適用対象外です

参考：法2①九の二、法別表第一第1号、酒税法2①

Q-8 栄養ドリンクの販売

判 定 事 例	判 定
栄養ドリンクの販売は、軽減税率の適用対象になりますか？ ① 「医療品等」に該当する栄養ドリンク ② 医薬品等に該当しない栄養ドリンク	 適用対象外です ○ 適用対象です

参考：法２①九の二、法別表第一第１号

Q-9 健康食品、美容食品等の販売

判 定 事 例	判 定
医薬品等に該当しない特定保健用食品、栄養機能食品、健康食品、美容食品などの販売は、軽減税率の適用対象になりますか？	 適用対象です

参考：法２①九の二、法別表第一第１号

Q-10 金箔の販売

判 定 事 例	判 定
食品衛生法に規定する添加物として販売される金箔の販売は、軽減税率の適用対象になりますか？	 適用対象です

参考：法２①九の二、法別表第一第１号、基通５－９－１

Q−11 ● 化粧品メーカーへの「添加物」の販売

判 定 事 例	判 定
食用として販売している「添加物」を化粧品の原材料とする場合、この「添加物」の販売は、軽減税率の適用対象になりますか？	 **適用対象です**

参考：法2①九の二、法別表第一第1号、基通5−9−1

Q−12 ● 炭酸ガスの販売

判 定 事 例	判 定
食品添加物の炭酸ガスを仕入れて飲食店等に販売しています。この炭酸ガスは、金属のボンベに充てんされた状態で販売しますが、使用後の空ボンベは、飲食店等から回収し、仕入先に返却しています。この場合、販売する炭酸ガスは、軽減税率の適用対象になりますか？	 **適用対象です**

 **補足説明**　炭酸ガスが充てんされたボンベは、炭酸ガスの販売に付帯して通常必要なものとして使用されるものと考えられますので、ボンベについて別途対価を徴している場合を除き、ボンベも含め「飲食料品の譲渡」に該当し、軽減税率の適用対象となります。

（注）　炭酸ガスを消費等した後において空のボンベが返却された際に返還することとされている保証金等の取扱いについては、本章【Q−15】をご参照ください。

参考：法2①九の二、法別表第一第1号、基通5−9−1

Q-13 飲食料品を譲渡する際の包装材料等の取扱い

判 定 事 例	判 定

通常、食品や飲料を譲渡する場合、容器や包装を使いますが、これら容器等を含めて、軽減税率の適用対象になりますか？

① 飲食料品の販売に付帯して通常必要なものとして使用されるものであるとき

適用対象です

② 贈答用の包装など、包装材料等につき別途対価を定めている場合のその包装材料等の譲渡

適用対象外です

参考：法２①九の二、法別表第一第１号、基通５－９－２

Q-14 キャラクターを印刷したお菓子の缶箱等

判 定 事 例	判 定

キャラクターを印刷した缶箱にお菓子を詰めて販売していますが、この缶箱は、通常必要なものとして使用される容器に該当し、この缶箱入りのお菓子の販売は、軽減税率の適用対象になりますか？

適用対象です

補足説明

飲食料品の販売の際に付帯する包装材料等が、例えば、その形状や販売方法等から、装飾品、小物入れ、玩具など、顧客に他の用途として再利用させることを前提として付帯しているものは、通常必要なものとして使用されるものに該当せず、その商品は、「一体資産」に該当します。

参考：基通５－９－２

Q-15 飲用後に回収される空びん

判 定 事 例	判 定

ガラスびん入りの清涼飲料を飲食店等に卸しており、販売に当たっては、顧客から「容器保証金（容器等の返却を担保するために預かる保証金）」を預かることなく、全体を軽減税率の適用対象として販売しています。

飲用後の空びんを飲食店等から回収し、「びん代」を飲食店等に支払っていますが、この「びん代」は、軽減税率の適用対象になりますか？

適用対象外です

補足説明

容器等込みで飲料を仕入れる際に支払い、飲料を消費等した後に空の容器等を返却したときに返還を受けることとされているいわゆる「容器保証金」は、消費税の課税対象外であり、課税仕入れに該当しません。

（参考） 「容器保証金」について、容器等が返却されないことにより返還しないこととなった保証金等の取扱いは、次によることとされています。

・ 当事者間においてその容器等の譲渡の対価として処理することとしている場合、資産の譲渡等の対価に該当します。

・ 当事者間において損害賠償金として処理することとしている場合、その損害賠償金は資産の譲渡等の対価に該当しません。

※ 上記のいずれによるかは、当事者間で授受する請求書、領収書その他の書類で明らかにするものとされています。　参考：基通 5 - 2 - 6

Q-16 桐の箱の容器

判 定 事 例	判 定
商品の名称を直接印刷した専用の桐の箱に、果実を入れて販売する場合、桐の箱も含めて「飲食料品の譲渡」に該当しますか？	**該当します**

参考：基通 5 - 9 - 2

Q-17 食品と食品以外の資産が選択可能である場合の一体資産該当性

判 定 事 例	判 定
店内飲食と持ち帰りのどちらもすることができる飲食店を経営し、お菓子とドリンクとおもちゃをセット商品として販売しています。このセット商品のお菓子・ドリンクは、顧客がメニューの中から選択することができるようにして販売していますが、顧客がこのセット商品を持ち帰る場合、一体資産に該当しますか？	**該当しません**

補足説明

「一体資産」とは、食品と食品以外の資産があらかじめ一の資産を形成し、又は構成しているもの（一の資産に係る価格のみが提示されているものに限ります。）をいいます。

そのセット商品を構成する食品又は食品以外の資産について、顧客が選択可能であれば、あらかじめ一の資産を形成し、又は構成しているものではないため、一体資産に該当せず、一括譲渡（課税関係の異なる2以上の資産（軽減税率の適用対象とならない資産、軽減税率の適用対象資産又は非課税対象資産のうち異なる2以上の資産）を同一の者に同時に譲渡すること）に該当することから、個々の資産の譲渡等の対価の額が合理的に区分されていない

場合には、それぞれの資産の価額に基づき合理的にあん分する必要があります。

参考：法2①九の二、法別表第一第1号

Q−18 食品と非売品のおもちゃの一括譲渡

判 定 事 例	判 定
ハンバーガーとドリンクとおもちゃで構成されるセット商品（500円：税抜き）を持ち帰り用に販売しています。このセット商品の販売は、顧客がメニューからハンバーガーとドリンクを選択することができるため、一体資産ではなく、一括譲渡に該当しますが、おもちゃは非売品なので対価を設定していません。この場合、おもちゃの対価は0円としてもよいですか？ 　なお、セット商品のハンバーガーとドリンクは、単品で販売する場合、ハンバーガーは販売価格300円（税抜き）、ドリンクは250円（税抜き）です。	○ **はい**

 補足説明

　一括譲渡においては、税率の異なるごとに資産の譲渡等の対価の額を合理的に区分する必要があります。

　このセット商品は、おもちゃが非売品であるため、例えば、セット商品の売価から実際に販売されている商品の単品の価格（この場合はハンバーガーの売価300円とドリンクの売価250円の合計額550円）を控除した後の残額を非売品の売価とし、おもちゃの売価を0円とすることも合理的に区分されたものと考えられます。

　また、実態として、おもちゃが付かない場合でもセット商品の価格が変わらない場合には、おもちゃの対価を求めていないと認められますので、非売品の売価を0円とすることも合理的に区分されたものと考えられます。

参考：令45③

Q−19 販促品付きペットボトル飲料

判 定 事 例	判 定
販売促進の一環として、キャンペーン期間中は特定のペットボトル飲料に非売品のおもちゃを付けた状態で販売することがありますが、このような商品は、「一体資産」に該当しますか？ 　なお、おもちゃが付かない場合であってもこのペットボトル飲料の価格は変わりません。	 該当します

参考：法２①九の二、法別表第一第１号、令２の３

Q−20 一体資産に含まれる食品に係る部分の割合の売価による判定

判 定 事 例	判 定
税抜価格500円で販売しているティーカップに、ハーブを原料とした自家製ハーブティーをパッケージングしてセット商品として税抜価格1,500円で販売する場合、ハーブティーを単品で販売していないため売価を設定していませんが、セット商品の価格からティーカップの売価を控除した後の金額をハーブティーの売価とすることで「一体資産の価額のうちに当該一体資産に含まれる食品に係る部分の価額の占める割合として合理的な方法により計算した割合が３分の２以上であること」の判定を行うことはできますか？	できます

 補足説明

　一体資産の価額のうちに当該一体資産に含まれる食品に係る部分の価額の占める割合として合理的な方法により計算した割合は、事業者の販売する商品や販売実態等に応じ、例えば、次の割合など、事業者が合理的に計算した割合であればこれによって差し支えないとされています。

　イ　その一体資産の譲渡に係る売価のうち、合理的に計算した食品の売価の占める割合
　ロ　その一体資産の譲渡に係る原価のうち、合理的に計算した食品の原価の占める割合

参考：基通５−９−４

Q-21 自動販売機

判 定 事 例	判 定
自動販売機のジュースやパン、お菓子等の販売は、軽減税率の適用対象になりますか？	○ 適用対象です

参考：法2①九の二、法別表第一第1号、基通5-9-5

Q-22 食品の加工

判 定 事 例	判 定
取引先からコーヒーの生豆の支給を受け、焙煎等の加工を行っている場合、この加工は軽減税率の適用対象になりますか？	× 適用対象外です

 補足説明　コーヒーの生豆の加工は、役務の提供に該当しますので、軽減税率の適用対象外です。

参考：法2①九の二、法別表第一第1号

Q-23 自動販売機の手数料

判 定 事 例	判 定
清涼飲料の自動販売機を設置しており、飲料メーカーから、この自動販売機による清涼飲料の販売数量等に応じて計算された販売手数料を受領しています。 　この販売手数料は、軽減税率の適用対象になりますか？	× 適用対象外です

Q-24 軽減税率が適用される「新聞の譲渡」

判 定 事 例	判 定
次の「新聞の譲渡」は、軽減税率の適用対象になりますか？ ①　一定の題号を用い、政治、経済、社会、文化等に関する一般社会的事実を掲載する週2回以上発行される新聞の定期購読契約に基づく譲渡	○ 適用対象です

② 　駅売りの新聞など定期購読契約に基づかない新聞の譲渡

適用対象外です

参考：法2①九の二、法別表第一第2号

Q−25　1週に2回以上発行する新聞

判　定　事　例	判　定

　通常週2回発行されている新聞が、休刊日により週に1回しか発行されない場合があるとき、この新聞の販売は、軽減税率の適用対象になりますか？

定期購読契約に基づくものであれば適用対象です

補足説明　　軽減税率の適用対象となる「1週に2回以上発行する新聞」とは、通常の発行予定日が週2回以上とされている新聞をいいますので、国民の祝日及び通常の頻度で設けられている新聞休刊日によって発行が1週に1回以下となる週があっても「1週に2回以上発行する新聞」に該当します。

参考：法2①九の二、法別表第一第2号、基通5−9−13

Q−26　発行回数の異なる新聞

判　定　事　例	判　定

　新聞で定期購読契約に基づく週1回の発行は標準税率、週2回以上の発行は軽減税率というように、同種の新聞でも発行回数次第で異なる税率が適用されますか？

適用されます

参考：法2①九の二、法別表第一第2号

Q−27 ● ホテルに対して販売する新聞

判 定 事 例	判 定

ホテルに販売する週2回以上発行される新聞は、ホテルが従業員の購読用とするもののほか、ロビーに設置するもの、そのホテルの宿泊客に無料で配布するものがあります。この場合、新聞の販売は、軽減税率の適用対象になりますか？

なお、ホテルとの間では、定期購読契約に基づき毎日一定の固定部数を納品するほか、当日の宿泊客数に応じて追加部数を納品しています。

① 毎日一定の固定部数に係るもの

適用対象です

② 追加部数を納品するもの

適用対象外です

 補足説明

ホテルで再販売（ホテルの売店等での販売や、宿泊客から新聞代を徴して配布すること）するためのものとして新聞を販売する場合、ホテルは「購読」しようとする者には当たらないことから、軽減税率の適用対象となりません。

参考：法2①九の二、法別表第一第2号

Q−28 ● 電子版の新聞

判 定 事 例	判 定

インターネットを通じて配信する電子版の新聞は、軽減税率の適用対象になりますか？

適用対象外です

 補足説明

電子版の新聞は、電気通信回線を介して行われる役務の提供である「電気通信利用役務の提供」に該当し、「新聞の譲渡」に該当しないことから、軽減税率の適用対象となりません。

参考：法2①八の三、九の二、法別表第一第2号

Q−29 ● 紙の新聞と電子版の新聞のセット販売

判 定 事 例	判 定
定期購読契約による週2回以上発行される紙の新聞とインターネットを通じて配信する電子版の新聞とのセット販売は、軽減税率の適用対象になりますか？ ① 紙の新聞による譲渡の対価（セット価額を区分）の額 ② 電子版の新聞の提供の対価（セット価額を区分）の額	 適用対象です 適用対象外です

参考：法2①八の三、九の二、法別表第一第2号

Q−30 ● 飲食店業等を営む者が行う食事の提供（いわゆる「外食」）の意義

判 定 事 例	判 定
レストランやフードコートでの食事の提供は、軽減税率が適用されない「いわゆる『外食』」に該当しますか？	◯ 該当します

 補足説明　軽減税率が適用されない「いわゆる『外食』」とは、
① 飲食店業等を営む者がテーブル、椅子、カウンターその他の飲食に用いられる設備（以下「飲食設備」といいます。）のある場所において、
② 飲食料品を飲食させる役務の提供
をいいます。

参考：法2①九の二、法別表第一第1号イ、令2の4①、基通5−9−6

Q−31 ● 飲食に用いられる設備（飲食設備）の意義

判 定 事 例	判 定
「飲食設備」とは、飲食に用いられるテーブル、椅子、カウンター等の設備であれば、飲食のための専用の設備である必要がありますか？	 必要はありません

参考：基通5−9−7、5−9−8

Q－32　持ち帰り販売の取扱い

判 定 事 例	判 定
飲食店業等を営む者が、「店内飲食」と「持ち帰り販売」の両方を行っている場合、「店内飲食」か「持ち帰り販売」かの意思確認を顧客に行った上での「持ち帰り販売」には、軽減税率の適用対象になりますか？	適用対象です

参考：法2①九の二、法別表第一第1号イ、基通5－9－10

Q－33　「ケータリング」や「出張料理」

判 定 事 例	判 定
顧客の自宅で調理を行って飲食料品を提供する「ケータリング」や「出張料理」は、軽減税率の適用対象になりますか？	適用対象外です

補足説明　軽減税率の適用対象となる「飲食料品の譲渡」には、「いわゆる『ケータリング』」は含まれないこととされています。

　「いわゆる『ケータリング』」は、相手方が指定した場所で、飲食料品の提供を行う事業者が食材等を持参して調理して提供するものや、調理済みの食材を当該指定された場所で加熱して温かい状態で提供すること等をいいます。

参考：法2①九の二、法別表第一第1号ロ、基通5－9－11

Q－34　配達先での飲食料品の取り分け

判 定 事 例	判 定
味噌汁付弁当を配達・販売する際に、配達先で味噌汁を取り分け用の器に注いで一緒に提供した場合、この味噌汁付弁当の販売は、「いわゆる『ケータリング』」に該当しますか？	　該当しません

補足説明　「味噌汁を取り分け用の器に注ぐ」という行為は、味噌汁の販売に必要な行為である「取り分け」に該当し、「いわゆる『ケータリング』」に該当しません（味噌汁付弁当の全体が軽減税率の適用対象となります。）。

参考：法2①九の二、法別表第一第1号ロ、基通5－9－11

Q−35 社員食堂での飲食料品の提供

判 定 事 例	判 定
会社や事務所内に設けられた社員食堂で提供する食事は、軽減税率の適用対象になりますか？	適用対象外です

参考：法２①九の二、法別表第一第１号イ、基通５－９－９

Q−36 屋台での飲食料品の提供

判 定 事 例	判 定
屋台を営む事業者が行う飲食料品の提供は、軽減税率の適用対象になりますか？	
① テーブル、椅子、カウンターなどを設置せずに行う屋台での飲食料品の提供	適用対象です
② テーブル、椅子、カウンター等はあるが、例えば、公園などの公共のベンチ等で特段の使用許可等をとっておらず、顧客が使用することもあるがその他の者も自由に使用している場合の飲食料品の提供	適用対象です
③ 事業者が自らテーブル、椅子、カウンター等を設置している屋台での飲食料品の提供	適用対象外です
④ 事業者が自ら設置はしておらず、飲食設備を設置又は管理する者から使用許可等を受けて行う屋台での飲食料品の提供	適用対象外です

参考：法２①九の二、法別表第一第１号イ、基通５－９－７、５－９－８

Q−37 コンビニエンスストアのイートインスペースでの飲食

判 定 事 例

　店内にイートインスペースを設置したコンビニエンスストアにおけるホットドッグ、から揚げ等のホットスナックや、弁当等の販売は、軽減税率の適用対象になりますか？

判 定

販売時に顧客の意思確認を行い、持ち帰りする場合は適用対象です

 補足説明

　イートインスペースを設置しているコンビニエンスストアにおいて、トレイや返却が必要な食器に入れて飲食料品を提供する場合などは、店内のイートインスペースで飲食させる「食事の提供」であり、軽減税率の適用対象となりません。　参考：法2①九の二、法別表第一第1号イ、基通5−9−9⑶

Q−38 スーパーマーケットの休憩スペース等での飲食

判 定 事 例

　スーパーマーケットを運営し、弁当や惣菜等の販売を行っています。店舗には、顧客が飲食にも利用することができる休憩スペースがあります。このようなスペースであっても、いわゆるイートインスペースに該当することから、軽減税率の適用対象となるかならないかを判定するために、顧客に対して店内飲食か持ち帰りかの意思確認が必要でしょうか？

判 定

必要です

 補足説明

　大半の商品（飲食料品）が持ち帰りであることを前提として営業しているスーパーマーケットの場合において、全ての顧客に店内飲食か持ち帰りかを質問することを必要とするものではなく、例えば、「休憩スペースを利用して飲食する場合はお申し出ください」等の掲示を行うなど、営業の実態に応じた方法で意思確認を行うこととして差し支えありません。

　なお、「飲食はお控えください」といった掲示を行うなどして実態として顧客に飲食させていない休憩スペース等や、従業員専用のバックヤード、トイレ、サッカー台（購入した商品を袋に詰めるための台）のように顧客により飲食に用いられないことが明らかな設備については、飲食設備に該当しません。そのため、ほかに飲食設備がない場合には、持ち帰り販売のみを行うこととなりますので、意思確認は不要となります。

　参考：法2①九の二、法別表第一第1号イ、基通5−9−7、5−9−9⑶

Q−39 飲食可能な場所を明示した場合の意思確認の方法

判 定 事 例	判 定
スーパーマーケットを運営し、弁当や惣菜等の販売を行っています。店舗には、顧客が飲食にも利用することができる休憩スペースのほか、階段脇や通路沿いにもベンチ等を設置しています。衛生上の観点から、休憩スペースでのみ飲食を可能としており、「飲食される場合には休憩スペースをご利用ください」といった掲示を行っています。 そういった掲示を行っている場合に、顧客に対して店内飲食か持ち帰りかの意思確認は必要ですか？	 必要です

参考：法2①九の二、法別表第一第1号イ、基通5−9−7、5−9−9(3)

Q−40 イートインスペースで飲食される物の限定

判 定 事 例	判 定
スーパーマーケットを運営し、弁当や惣菜等の販売を行っています。店舗には、テーブルや椅子を設置したイートインスペースがありますが、「お飲み物とベーカリーコーナーのパンについてはお会計いただいた後イートインスペースでお召し上がりいただけます」と掲示しています。その場合、飲み物やパン以外の飲食料品（弁当や惣菜等）を販売する際にも、顧客に対して店内飲食か持ち帰りかの意思確認が必要ですか？	 不要です

 補足説明　飲み物とパンのみが飲食可能な旨の掲示を行っていたとしても、実態としてそれら以外の飲食料品も顧客に飲食させているような場合におけるその飲食料品の提供は「食事の提供」に当たり、軽減税率の適用対象となりません。したがって、店内飲食か持ち帰りかの意思確認を行うなどの方法で、軽減税率の適用対象となるかならないかを判定していただくこととなりますのでご留意ください。　参考：法2①九の二、法別表第一第1号イ、基通5−9−9(3)

Q−41 セット商品のうち一部を店内飲食する場合

判 定 事 例	判 定
ファストフード店で、一の商品であるハンバーガーとドリンクのセット商品を販売する際に、顧客からドリンクだけを店内飲食すると意思表示された場合、ハンバーガーは軽減税率の対象になりますか？	適用対象外です

Q−42 映画館の売店での飲食料品の販売

判 定 事 例	判 定
映画館の売店での飲食料品の販売は、軽減税率の適用対象になりますか？	適用対象です

 補足説明

　ただし、売店により、例えば、映画館の座席で次のような飲食料品の提供が行われる場合には、当該飲食料品の提供は、食事の提供に該当し、軽減税率の適用対象となりません。
① 座席等で飲食させるための飲食メニューを座席等に設置して、顧客の注文に応じてその座席等で行う食事の提供
② 座席等で飲食するため事前に予約を取って行う食事の提供

参考：法２①九の二、法別表第一第１号イ、基通５−９−９(4)、５−９−９（注）２

Q−43 適用税率の判定時期

判 定 事 例	判 定
軽減税率が適用される取引か否かについては、飲食料品を提供（譲渡）する時点（取引を行う時点）で判定を行いますか？	行います

 補足説明

　譲渡の判定に当たっては、
① 販売する事業者が、人の飲用又は食用に供されるものとして譲渡した場合には、顧客がそれ以外の目的で購入し、又はそれ以外の目的で使用したとしても、当該取引は「飲食料品の譲渡」に該当し、軽減税率の適用対象となります。
② 販売する事業者が、人の飲用又は食用以外に供されるものとして譲渡した場合には、顧客がそれを飲用又は食用に供する目的で購入し、又は実際に飲用又は食用に供したとしても、当該取引は「飲食料品の譲渡」に該当せず、軽減税率の適用対象となりません。

参考：基通５−９−１

第18章　国境を越えた役務の提供に係る消費税の課税関係

Q－1　電気通信利用役務の提供の範囲

判　定　事　例	判　定
対価を得て行われる次の取引は、「電気通信利用役務の提供」に該当しますか？	
①　インターネット等を介して行われる電子書籍・電子新聞・音楽・映像・ソフトウエア（ゲームなどの様々なアプリケーションを含みます。）の配信	◯ 該当します
②　顧客に、クラウド上のソフトウエアやデータベースを利用させるサービス	◯ 該当します
③　顧客に、クラウド上で顧客の電子データの保存を行う場所の提供を行うサービス	◯ 該当します
④　インターネット等を通じた広告の配信・掲載	◯ 該当します
⑤　インターネット上のショッピングサイト・オークションサイトを利用させるサービス（商品の掲載料金等）	◯ 該当します
⑥　インターネット上でゲームソフト等を販売する場所を利用させるサービス	◯ 該当します

⑦　インターネットを介して行う宿泊予約、飲食店予約サイト（宿泊施設、飲食店等を経営する事業者から掲載料等を徴するもの）

該当します

⑧　インターネットを介して行う英会話教室

該当します

⑨　電話、FAX、電報、データ伝送、インターネット回線の利用など、他者間情報の伝達を単に媒介するもの（いわゆる通信）

該当しません

⑩　ソフトウエアの制作等

該当しません

⑪　国外に所在する資産の管理・運用等（ネットバンキングを含みます。）

該当しません

⑫　国外事業者に依頼する情報の収集・分析等

該当しません

⑬　国外の法務専門家等が行う国外での訴訟遂行等

該当しません

⑭　著作権の譲渡・貸付け

該当しません

参考：法２①八の三、基通５－８－３

Q-2 ●事業者向け電気通信利用役務の提供の範囲

判 定 事 例	判 定

「電気通信利用役務の提供」のうち「事業者向け電気通信利用役務の提供」とは、国外事業者が行う電気通信利用役務の提供のうち、役務の性質又は当該役務の提供に係る取引条件等から当該役務の提供を受ける者が通常事業者に限られますか？

限られます
例えばインターネットを介した広告の配信やインターネット上でゲームやソフトウエアの販売場所を提供するサービスなどをいいます

参考：法２①八の四、基通５－８－４

Q-3 ●消費者向け電気通信利用役務の提供

判 定 事 例	判 定

「消費者向け電気通信利用役務の提供」とは、「電気通信利用役務の提供」のうち、「事業者向け電気通信利用役務の提供」に該当しないものですか？

はい
具体的には、対価を得て行われるもので、消費者も含め広く提供されるインターネット等を通じて行われる電子書籍等の配信などをいいます

参考：基通５－８－４（注）

Q-4 ● リバースチャージ方式

判 定 事 例	判 定

国内で宿泊施設を運営している事業者が、インターネットで外国人向けの宿泊予約サイトを運営している国外事業者に対して、掲載料を支払っている場合、これらの取引については、リバースチャージ方式が適用されるのでしょうか？

適用されます

参考：法5①、28②、30①、45①一、平27改法附42、44②

Q-5 ● 芸能・スポーツ等の役務の提供に係る消費税の課税関係

判 定 事 例	判 定

外国人タレントが来日して出演するイベントを企画・運営する会社（内国法人）が、当該外国人タレントに対し、国内で行われる出演について報酬を支払う場合、このような取引については、リバースチャージ方式により申告・納税を行う必要がありますか？

あります

補足説明　リバースチャージ方式は、経過措置により、当分の間は、当該課税期間について一般課税により申告する場合で、課税売上割合が95％未満である事業者のみ適用されます。

参考：法2①八の五、5①、28②、45①一、令2の2、平27改法附42、44②

Q-6 ● 「国外事業者」の意義

判 定 事 例	判 定

国内に支店等を有する外国法人については、国外事業者に該当しますか？

該当します

参考：法2①四の二、基通1-6-1

Q−7 ● 「特定資産の譲渡等」の意義

判　定　事　例	判　定
「特定資産の譲渡等」とは、「事業者向け電気通信利用役務の提供」及び「特定役務の提供」をいいますか？	◯ いいます

参考：法２①八の二、八の四、八の五、令２の２、基通５−８−４〜５−８−７

Q−8 ● 「特定仕入れ」・「特定課税仕入れ」の意義

判　定　事　例	判　定
「特定仕入れ」とは、事業として他の者から受けた特定資産の譲渡等をいいますか？	◯ いいます
「特定課税仕入れ」とは、課税仕入れのうち国内において行った「特定仕入れ」に該当するものをいいますか？	◯ いいます

参考：法４①、５①、28②、45①一

Q−9 ● 国外事業者の納税義務の判定　その１

判　定　事　例	判　定
国外事業者であっても事業者免税点制度は適用されますか？	◯ 適用されます

参考：法９①

Q－10 ● 国外事業者の納税義務の判定　その２

<table>
<tr><td colspan="2">判 定 事 例</td><td>判 定</td></tr>
<tr><td>　電気通信利用役務の提供のみを行っている国外事業者で、「事業者向け電気通信利用役務の提供」と「消費者向け電気通信利用役務の提供」を国内に提供している場合には、基準期間における課税売上高の計算は「消費者向け電気通信利用役務の提供」に係る対価の額のみで計算しますか？</td><td></td><td>
計算します</td></tr>
</table>

参考：法５①かっこ書、９①、基通１－４－２（注）３

Q－11 ● 特定課税仕入れに係る消費税の課税標準

<table>
<tr><td colspan="2">判 定 事 例</td><td>判 定</td></tr>
<tr><td>　特定課税仕入れに係る消費税の課税標準は、特定課税仕入れに係る「支払対価の額」になりますか？</td><td></td><td>
なります</td></tr>
</table>

参考：法28②、基通10－2－1

Q－12 ● 特定課税仕入れに係る消費税額

<table>
<tr><td colspan="2">判 定 事 例</td><td>判 定</td></tr>
<tr><td>　課税標準額に対する消費税額から控除する特定課税仕入れに係る消費税額は、特定課税仕入れに係る「支払対価の額」に100分の7.8を乗じて算出した金額になりますか？</td><td></td><td>○
なります</td></tr>
</table>

参考：法30①

Q−13 ● 事業者向け電気通信利用役務の提供に該当するかどうかの判断

判 定 事 例	判 定
国外事業者と様々な取引を行っている場合、提供を受けた「電気通信利用役務の提供」が「事業者向け電気通信利用役務の提供」に該当するかどうかは取引条件等から判断しますか？	その役務の性質から事業者向けであると判断できるもの以外については、取引条件等から判断することとなります

参考：法2①八の四、62

Q−14 ● 事業者向け電気通信利用役務の提供である旨の表示

判 定 事 例	判 定
国内において「事業者向け電気通信利用役務の提供」を行う国外事業者は、当該役務の提供に際し、あらかじめ、「当該役務の提供に係る特定課税仕入れを行う事業者が消費税を納める義務がある旨」を表示する必要がありますか？	あります

 補足説明　　取引相手が容易に認識できる場所に、「日本の消費税は役務の提供を受けた貴社が納税することとなります。」や「日本の消費税のリバースチャージ方式の対象取引です。」などの表示を行うこととなります。

参考：法62、基通5−8−2

Q−15 特定課税仕入れに係る帳簿及び請求書等の保存

判 定 事 例	判 定
特定課税仕入れに係る消費税額の仕入税額控除を行う場合、帳簿と請求書等の両方の保存が必要ですか？	 法令に規定された事項が記載された帳簿の保存のみで仕入税額控除の適用を受けることができます

参考：法30⑦

Q−16 課税売上割合の計算方法

判 定 事 例	判 定
特定課税仕入れがある場合の課税売上割合の計算において、その事業者の資産の譲渡等及び課税資産の譲渡等ではない特定課税仕入れに係る金額は考慮する必要はありますか？	 必要はありません

参考：法30、令48①

Q−17 特定課税仕入れがある場合の納税義務の判定

判 定 事 例	判 定
国内に本店を有する法人で、当課税期間に国外事業者から「特定課税仕入れ」である「事業者向け電気通信利用役務の提供」を受けました。当課税期間は一般課税で課税売上割合も95％未満なので、特定課税仕入れに係る支払対価の額を課税標準として申告を行う場合、翌々課税期間の納税義務の判定を行う際の基準期間における課税売上高に、特定課税仕入れに係る支払対価の額は含まれますか？	 含まれません

参考：法9①、基通1−4−2（注）4

Q−18 免税事業者からの特定課税仕入れ

判 定 事 例	判 定
簡易課税制度の適用がなく、課税売上割合も95％未満の事業者が、国外の免税事業者にインターネットによる広告配信を依頼した場合、免税事業者からの特定課税仕入れ（事業者向け電気通信利用役務の提供）についても、リバースチャージ方式による申告を行う必要がありますか？	**あります**

参考：法4①、5①、基通5−8−1

Q−19 事業者向け電気通信利用役務の提供を受けた場合の内外判定基準

判 定 事 例	判 定
「事業者向け電気通信利用役務の提供」に係る内外判定基準について、次の取引は、国内取引となりますか？ ① 国内事業者が国外事業所等で受ける「事業者向け電気通信利用役務の提供」のうち、国内以外の地域において行う資産の譲渡等にのみ要するものである場合 ② 国外事業者が恒久的施設で受ける「事業者向け電気通信利用役務の提供」のうち、国内において行う資産の譲渡等に要するものである場合	**国外取引となります** **国内取引となります**

参考：法4④

Q−1 ●プラットフォーム課税

判 定 事 例	判 定

令和7年（2025）年4月1日以後に、国外事業者がデジタルプラットフォームを介して行う消費者向け電気通信利用役務の提供で、かつ、特定プラットフォーム事業者を介して当該役務の提供の対価を収受するものについては、当該特定プラットフォーム事業者が当該役務の提供を行ったものとみなして、申告・納税を行うのでしょうか？

特定プラットフォーム事業者が申告・納税を行います

参考：法15の2①

Q−2 ●デジタルプラットフォームの意義

判 定 事 例	判 定

アプリストアや電子書籍のオンラインモールなどはデジタルプラットフォームに該当しますか？

該当します

補足説明

「デジタルプラットフォーム」とは、不特定かつ多数の者が利用することを予定して電子計算機を用いた情報処理により構築された場であって、当該場を介して当該場を提供する者以外の者が消費者向け電気通信利用役務の提供を行うために、当該消費者向け電気通信利用役務の提供に係る情報を表示することを常態として不特定かつ多数の者に電気通信回線を介して提供されるものをいいます。

参考：法15の2①

Q-3　ショッピングサイトを介して行う物品販売

判 定 事 例	判 定
国外事業者が国内事業者が運営するショッピングサイトを介して行う物品販売は、プラットフォーム課税の対象となりますか？	**なりません**

 補足説明　　物品販売は、電気通信利用役務の提供に該当しません。

参考：法2①八の三

Q-4　プラットフォーム事業者を介さずに消費者向け電気通信利用役務の提供の対価を収受する場合

判 定 事 例	判 定
プラットフォーム事業者が提供するデジタルプラットフォームを介して、国外事業者がアプリ配信（消費者向け電気通信利用役務の提供）を行っており、そのアプリ配信の対価について、プラットフォーム事業者を介さずに国外事業者がアプリ利用者から直接収受した場合、プラットフォーム課税の対象となりますか？	**なりません**

Q-5　消費者向け電気通信利用役務の提供を行う事業者が国外事業者であるかどうかの判定

判 定 事 例	判 定
プラットフォーム課税の対象となるかどうかを判断するに当たって、その提供するデジタルプラットフォームを介して消費者向け電気通信利用役務の提供を行う事業者が、日本国内に住所や本店等を有しない国外事業者であるかどうかについては、例えば、その事業者がプラットフォームの利用契約等において申し出た本店所在地によるなど、客観的かつ合理的な基準により判定して差し支えありませんか？	**差し支えありません**

参考：基通5-8-8

Q－6 消費者向け電気通信利用役務の提供を行う国外事業者が課税事業者であるかどうかの確認

判 定 事 例	判 定
プラットフォーム事業者が、プラットフォーム課税の対象となるかどうかを判断するに当たって、その提供するデジタルプラットフォームを介して消費者向け電気通信利用役務の提供を行う国外事業者が消費税の課税事業者であるかどうかを確認する必要はありますか？	ありません

Q－7 プラットフォーム課税の対象となる電気通信利用役務の提供に係るインボイス交付義務

判 定 事 例	判 定
プラットフォーム課税の対象となる消費者向け電気通信利用役務の提供については、特定プラットフォーム事業者が行ったものとみなされますので、特定プラットフォーム事業者が適格請求書発行事業者（インボイス発行事業者）である場合、プラットフォーム課税の対象となる消費者向け電気通信利用役務の提供について、当該役務の提供の相手方（課税事業者）から適格請求書（インボイス）の交付を求められたときは、消費者向け電気通信利用役務の提供を行う国外事業者が適格請求書発行事業者であるかどうかにかかわらず、特定プラットフォーム事業者が適格請求書を交付する必要がありますか？	あります

 補足説明　　適格請求書に記載すべき「適格請求書発行事業者の氏名又は名称」及び「登録番号」は、特定プラットフォーム事業者の「氏名又は名称」及び「登録番号」となります。

参考：法15の2①、57の4①

Q−8 ● 特定プラットフォーム事業者の指定を解除された場合の国外事業者への通知

判 定 事 例	判 定
特定プラットフォーム事業者の指定解除通知を受けた場合、その提供するデジタルプラットフォームを介して消費者向け電気通信利用役務の提供を行う国外事業者に対して、プラットフォーム課税の対象にならなくなる旨を通知する必要はありますか？	**あります**

参考：法15の2⑬

Q−9 ● 特定プラットフォーム事業者の指定解除時における納税義務の判定

判 定 事 例	判 定
当社（12月決算）は、令和14年4月1日に特定プラットフォーム事業者の指定が解除された場合、令和16年12月期の納税義務の判定に当たって、基準期間（令和14年12月期）における課税売上高に、プラットフォーム課税の対象となっていた消費者向け電気通信利用役務の提供の対価の額を含める必要はありますか？	○ **あります**

 補足説明

　プラットフォーム課税の対象とならない期間（令和14年4月から12月までの間）に国外事業者が行う消費者向け電気通信利用役務の提供の対価の額は含めないこととなります。

参考：法15の2①

第20章 特定非常災害に係る消費税の届出等に関する特例

Q－1 特例の概要

判 定 事 例	判 定
特定非常災害の被災者である事業者については消費税の届出等に関する特例はありますか？	 消費税の届出等に関する特例があります

補足説明

　「特定非常災害の被害者の権利利益の保全等を図るための特別措置に関する法律」第2条第1項の規定により、特定非常災害として指定された非常災害の被災者である事業者（以下「被災事業者」といいます。）の方について、①被災事業者が消費税の課税事業者を選択する（やめる）届出又は消費税の簡易課税制度を選択する（やめる）届出をする場合の特例、②被災事業者である新設法人等が基準期間のない各課税期間中に調整対象固定資産を取得した場合又は被災事業者が高額特定資産の仕入れ等を行った場合における事業者免税点制度及び簡易課税制度の適用制限の解除、といった特例が設けられています。

参考：措法86の5

Q-2 ● 届出の特例の概要

判 定 事 例	判 定
被災事業者が消費税の課税事業者を選択する（やめる）届出又は消費税の簡易課税制度を選択する（やめる）届出をする場合について、特例はありますか？	○ 指定日までに所轄税務署長に「消費税課税事業者選択届出書」等のこれらの選択をしようとする（又はやめようとする）旨の届出書を提出することにより、その適用を受けること（又はやめること）ができます

参考：措法86の5①②③⑨⑩

Q-3 ● 事業者免税点制度及び簡易課税制度の適用制限の一部解除

判 定 事 例	判 定
以下の場合、事業者免税点制度及び簡易課税制度の適用制限が一部解除される特例が設けられていますか？ ① 被災事業者である新設法人等が基準期間のない各課税期間中に調整対象固定資産を取得した場合	○ 設けられています

補足説明

新設法人又は特定新規設立法人は、基準期間がない各課税期間（通常設立1期目及び2期目）中に調整対象固定資産を取得し、その課税期間について一般課税で申告を行う場合、取得の日の属する課税期間の初日から原則として3年間は、納税義務が免除されず、その間は簡易課税制度を選択して申告することができませんが、被災事業者である新設法人又は特定新規設立法人は、これにかかわらず、被災日を含む課税期間以後の課税期間から、これらの制限規定が適用されません。

② 被災事業者が高額特定資産の仕入れ等を行った場合

設けられています

補足説明

　高額特定資産の仕入れ等を行い、その課税期間について一般課税で申告を行う場合、事業者は、その仕入れ等の日の属する課税期間の初日から原則として3年間は納税義務が免除されず、その間は簡易課税制度を選択して申告することができませんが、被災事業者については、被災日を含む課税期間以後の課税期間から、当該高額特定資産の仕入れ等に係るこれらの制限は適用されません。
　　　　　　　　　　　　　　　　　　　　　　参考：措法86の5④〜⑦

索　引

た

な

編 者 ・ 執 筆 者 等 一 覧

杉 浦 孝 幸

丸 根 　 剛

松 山 　 修

喜 多 千 容

後 藤 健 太

令和6年10月改訂　○×判定ですぐわかる消費税の実務

2024年11月20日　発行

編　者　　杉浦 孝幸

発行者　　新木 敏克

発行所　　公益財団法人 納税協会連合会
　　　　　　〒540-0012 大阪市中央区谷町1-5-4　　電話（編集部）06(6135)4062

発売所　　株式会社 清文社

大阪市北区天神橋2丁目北2-6（大和南森町ビル）
〒530-0041　電話 06(6135)4050　FAX 06(6135)4059
東京都文京区小石川1丁目3-25（小石川大国ビル）
〒112-0002　電話 03(4332)1375　FAX 03(4332)1376
URL https://www.skattsei.co.jp/

印刷：㈱広済堂ネクスト

ISBN978-4-433-70124-6